La rueca y el paraíso

COLECCIÓN EL GRAN PADROTE

Fernando Solana Olivares

LA RUECA Y EL PARAÍSO

Cuidado del Texto:

Fernando Solana Olivares, Ernesto Castro, ASV

Cubierta:

Avelino Sordo Vilchis

Primera edición, 1995, Conaculta-Ediciones del Equilibrista

Segunda edición, 2009

Av. Río Nilo 3015, Jardines de la Paz,

44860, Guadalajara, Jalisco, México

arlequin@edicionesarlequin.com.mx

www.edicionesarlequin.com.mx

Universidad de Guadalajara

Centro Universitario de Los Lagos

Av. Enrique Díaz de León s/n

Paseo de la Montaña

47460 Lagos de Moreno, Jalisco

ISBN: 978-607-95172-0-5

Impreso y hecho en México

Para Laura y para Tae

La tradición

Nadie atrás, nadie adelante.
Se ha cerrado el camino
que abrieron los antiguos.
Y el otro, ancho y fácil, de todos,
no va a ninguna parte.
Estoy solo y me abro paso.

Dharmakirti

I

Jacobo Cartola salió despedido del vagón. «Nunca tan lleno como hoy», se dijo con un suspiro hondo y sobresaltado cuando la marea ingobernable lo depositó en un andén repleto como el carro que abandonaba. «Nunca tan extraño como hoy», musitó al ver a una pareja de jóvenes trenzados en un abrazo que seguía avanzando. «¿Hasta dónde?», se preguntó. «Hasta cualquier punto», contestó a su propio requerimiento. «Hasta que o bien ella se canse o él se desespere, porque no parece que un tercero —autoridad, vigilante o lo que sea— esté dispuesto a intervenir», acabó tajante para sí mismo y apresurando el paso: nueve menos diez no era hora que permitiera indignaciones morales ni correr el riesgo de un linchamiento laboral por llegar otra vez retrasado a la oficina. Sorteó cuerpos y voluntades ajenas, dribló sin descanso frente a metas imaginarias y por eso inmancillables, sonrió fugazmente cuando se vio como delantero endiablado y por fin emergió al tibio sol de una mañana que dejaba de ser brumosa. «Nueve menos siete y yo saliendo apenas de la estación.» La dolorosa certidumbre pintó en su rostro ese gesto que su mujer toleraba a duras penas. De idiota, como decía Gardea, el auxiliar de archivo que tres o cuatro veces por semana lo acompañaba a escudriñar los mismos temas en cualquier cantina del rumbo: su esposa, los hijos, la suegra, el jefe inmediato, el jefe mediato, el dinero, los colegas, el futbol, la renuencia de Esmeralda para distinguirlo a él con los encantos que había repartido a ciegas entre todos y cada uno de los varones de la oficina, Gardea incluido.

Dobló por la calle de Gante a las nueve y dos y supo que su destino, inexorable, estaba cumplido. La ceja zigzagueante de la secretaria del director se transformaría en un gélido «¿Y se puede saber qué le pasó también hoy, señor Cartola?», que sería dicho mientras con un lápiz Mirado extra suave marcaría el enésimo retardo en el mes de Cartola Jacobo, número de empleado 46.

Nueve y cinco eran ya cuando abrió la puerta de Representaciones Fantásticas Ruano, llevando en una mano el portafolios negro de plástico imitación cocodrilo y en otra su corazón, dispuesto a negociar con él la insobornable clemencia de la guardiana de retardos, faltas, perezas y enfermedades no justificadas. El escritorio estaba vacío y Jacobo se quedó inmóvil con su mueca, su portafolios y su corazón, indeciso entre escurrirse sano y salvo hasta su escritorio o quedarse allí para que su tardanza fuera debidamente registrada. No tuvo que dubitar mucho, la secretaria del director regresó de inmediato.

—¡Señor Cartola, qué milagro! —dijo ella.

—Amparito, no se burle, por favor —contestó Jacobo, dudando si ante tanta causticidad valdría la pena que ofreciera su corazón. Decidió al instante que no. «Dignidad, hermano», como recomendaba Gardea, y se quedó nada más con el portafolios y la mueca—. Sé muy bien que otra vez estoy retrasado, Amparito, pero procuraré que no vuelva a ocurrir. Créamelo, se lo ruego.

—Pero usted no está retrasado, señor Cartola, porque ya no trabaja aquí.

—¡No me diga eso, no haga usted esas bromas, Amparo! He dejado mi vida en este lugar, mi trabajo siempre ha sido satisfactorio y un retraso más no es motivo de despido.

—¿De qué se trata esto, señor Cartola? Usted renunció hace tres años, el licenciado Ruano le entregó su liquidación, bueno, su despedida, porque usted se iba con su cuñado para llevarle la contabilidad de sus negocios.

—¿Yo, con mi cuñado? Pero cómo cree, si desde mi boda con su hermana no nos volvimos a hablar, Amparito. Ya déjese de chistes y anóteme mi retardo.

—Señor Cartola, el de los chistes es usted, ¿no? Lo desconozco, y esto sin ofender, porque nunca tuvo sentido del humor. Antier precisamente le decía yo a Esmeralda: ¿te acuerdas qué fúnebre era el señor Cartola? Nunca una broma, nunca una guasa. Ella dice que no, que de repente usted sí se reía, pero yo tengo para mí que era un tic o algo así, o sea, como no natural. ¿Y se le quitó o todavía sigue igual, eh? Pero cuénteme, ¿cómo le va?

La voz de Amparo se perdió entre una niebla aletargada. Jacobo se había derrumbado en una silla abrazando el portafolios, con mueca y sin corazón. Alcanzó a pronunciar un desfallecido «háblele a Gardea», que la secretaria atendió de mala gana. Un manotazo lo estremeció y dos brazos lo alzaron casi en vilo para estrujarlo.

—¡Cartola, hermano, sorpresa! ¿Qué, visitando a los amigos olvidados? ¿Cómo van las cosas con tu cuñado? ¡Dichosos los ojos, de veras!

—¿Pero tú también, Gardea? Cómo que sorpresa, si nos vimos ayer.

—¿Ayer, dices? Será ayer hace tres años, hermano. Y desde entonces ni volviste a llamar ni te apareciste otra vez.

La niebla se hizo densa, viscosa. Jacobo se dejó caer de nuevo en la silla y se resolvió a ofrecer, ahora sí, el corazón que minutos antes había escamoteado.

—Miren lo que traigo, Amparito, Gardea —dijo con una voz desconocida—. Con el corazón en la mano, por favor, anoten mi retardo y vamos a trabajar.

—Ay, señor Cartola, no sea tan sentimental —replicó Amparo—. ¿Cuál corazón? Siempre lo anda ofreciendo y nunca lo entrega. Se lo digo por última vez: usted hace tres años que no trabaja aquí. Y váyase antes de que llegue el licenciado Ruano, ya sabe cómo reacciona ante el pasado.

—Sí, hermano, mejor —propuso Gardea—. Espérame en El Redondel y te alcanzo a la salida. Y no le ruegues a esta bruja. Dignidad, hermano.

Las últimas palabras que Jacobo escuchó de Amparo fueron «pinche loco», y llenaron el aire de una mañana que para entonces tocó todos los rincones de la extrañeza.

Jacobo paseó su pérdida entre palomas volátiles, vendedores voraces y transeúntes apresurados. El cabezal de un periódico le confirmó la seriedad de sus viejos colegas: 3 de abril de 1983, tres años y un día desde ayer.

—Mi reina, soy yo, Jacobo —el ruido metálico del teléfono lo obligó a gritar—. ¿Estoy hablando al 534 67 82? Quiero hablar con la señora Cartola... sí, Cartola. ¿Que ya no vive allí? ¿Desde cuándo?... ¿No sabe adónde se cambió?... Sí, entiendo, mil gracias...

Jacobo colgó su alma en lugar de la bocina y el día se diluyó fantasmal, insípido. Después de vagar por el centro durante horas llegó a los vapores crepusculares de El Redondel. Gardea ocupaba la mesa esquinera de siempre y el alcohol merodeaba por sus ojos.

—Gardea, amigo, no entiendo nada —dijo Jacobo.

—Es natural, hermano, siempre has sido un irresponsable. Todo extravío es voluntario, igual que los actos, los pensamientos o la enfermedad. Pero nunca, Cartola, has querido asumirlo. Y hoy sales con que tienes tres años, treinta y seis meses perdidos. Sí, cómo no: hoy te despertaste y algún demonio había adelantado el calendario.

—Pero Gardea, comprende.

—¿Comprender qué? ¿Que todo lo pierdes, hasta el tiempo? Cuando menos a mí dime la verdad. Honestidad, carajo.

Un sollozo quebró el remanso etílico de El Redondel. Gardea hizo un gesto de fastidio y apuró su copa hasta el fondo. Se levantó y con displicencia dejó un billete sobre la mesa. «Búscame cuando lo encuentres», dijo, antes de cruzar por la salida con pasos habituales.

Jacobo salió a la madrugada cuando la cantina cerró sus puertas. El anuncio luminoso de Representaciones Fantásticas Ruano parpadeaba sobre la calle como un amanecer anticipado y fragmentario. Cartola arrojó el portafolios, conservó la mueca inevitable y no se preguntó por su corazón: seguramente había quedado en algún rincón del escritorio de Amparo. Enderezó su caminar hacia cualquier parte. Para buscar tres años y un día no hay rutas previas ni cartografías conocidas. «Imaginación, hermano», habría dicho Gardea. Y se fue sin mirar atrás.

II

Gardea caminó meditabundo por aceras desiertas. Entró en un edificio viejo y descascarado que había visto pasar años atrás épocas más opulentas. Subió sin pararse a tomar aliento los cuatro pisos que lo separaban de su casa. De un voluminoso llavero salió la llave que abría la cerradura, la hizo girar y entró a una estancia llena de luz. El desorden de ese cuarto —el único con que contaba el departamento, además de un rincón protegido por una cortina floreada que ocultaba un camastro, un baño minúsculo y una cocineta olvidada— era descomunal: los libros formaban torres en equilibrio precario, se desparramaban por el suelo y sobre los pocos muebles, iban del piso al techo en estantes que parecían haber reventado. Alrededor y encima de ellos se distribuían prendas de ropa, latas vacías, algunas botellas, maletas despanzurradas, fotografías, un viejo fonógrafo, flores petrificadas y a punto de disolverse, globos desinflados y descoloridos que simulaban guantes anormales, sombreros de formas múltiples, folletos de viaje, un aro de plástico, una bicicleta sin llanta delantera, platos de cartón con restos de comida. En un extremo de la estancia, sobre la raída alfombra, brillaba una televisión de la que no se escuchaba el sonido. Frente a ella, sentada en un sofá tan lleno de objetos como todo lo demás, estaba una mujer con expresión absorta. Al oír el ruido de la cerradura se incorporó a medias. Sonrió, y su sonrisa fue un mar de blancura en el naufragio que la rodeaba. Era joven, mucho más que Gardea. Era esbelta y estaba bien construida, mucho más que Gardea.

La miró con dureza.

—No limpiaste —dijo, y con la mano dibujó una parábola, amparando el caos del lugar.

—Lo intenté —contestó, y su gesto respondió a la aspereza del otro—. Pero no sé por dónde empezar.

—Pues por el principio, niña. Las cosas comienzan por el principio.

—Pero si esto es un final completo, de principio a fin no tiene principio.

—No, niña, no lo tiene, pero uno lo establece.

—¿Y qué voy a tirar, Gardea, y qué no? Dices que todo nos sirve.

—¿Nos sirve, dijiste? Me sirve, niña, porque todo lo que hay aquí entró antes de que tú llegaras. Todavía no hay nada tuyo.

—Me llamo Adela, Gardea, no niña —y en su rostro hubo una mueca aburrida.

—Yo me llamo Adolfo y nadie me dice así, niña. Nuestros nombres los eligen los demás —dijo Gardea, caminando hacia ella.

Semanas atrás, casi de madrugada, unos golpes furiosos estremecieron la puerta de su cueva. Nadie había tocado así nunca, nadie había entrado en años al santuario de su soltería. Vendedores infrecuentes o vecinos curiosos atisbaban el delirante desorden de su espacio por la puerta entreabierta apenas, pero Gardea no franqueaba el paso en ninguna circunstancia. Adela logró entrar con una suavidad inexplicable. La razón fue su sonrisa pero también los ojos llorosos y la boca desfigurada por los golpes. Antes de que Gardea controlara su sorpresa, Adela estaba perpleja en medio de la estancia. Su espanto se diluyó en la loca geometría hogareña del lugar, miró a Gardea y se echó a reír como si hubiera encontrado un barco o un planeta gravitando ante sus ojos. Desde entonces allí seguía, prometiendo a diario emprender una tarea que cada noche quedaba pendiente.

—Mañana lo hago, Gardea, sin falta. Ya sé cómo.

—Mañana, niña, mañana. ¿Habrá algo como eso? Hoy vi a un hombre que dice haber perdido todas sus mañanas de tres años para acá.

—¿Y dónde las dejó?

—Dice que no lo sabe. Que despertó y ya no estaban.

Gardea cobró, como cada noche, la hospitalidad que daba y el incumplimiento que recibía. El amanecer lo descubrió en el regazo apostólico de Adela. El placer sólo en el rostro de uno de los dos: Gardea. Con ella era distinto. No amaba al dueño del lugar desmesurado, simplemente pagaba sus deudas con una fatalidad disfrazada de candor. Había aprendido muy pronto que en la vida nada es gratuito, que todo requería esa contabilidad vicaria: pagar para vivir, aunque la vida tenida no fuera equilibrada con sus costos, aunque los costos resultaran impagables a veces.

La noche que llegó a Gardea venía de una deuda de amor. Carlos Vasconcelos se llamaba el acreedor y sus puños habían masacrado la limpia piel de la joven afuera del edificio donde vivía Gardea. Ya estaba por venir. La Goyesca llevaba meses diciéndole que se alejara de Vasconcelos, que nada bueno habría para ella con ese hombre lacónico, de manos grandes, que en lugar de hablar dictaba sentencias inapelables, que veía sin parpadear nunca, al que el alcohol nada podía y que en la cama se excitaba con fuegos helados, perdido de sí pero siempre presente, atento a lo que lo rodeaba —el cuerpo de Adela, la cascada de cabello repitiendo su caída inagotable una y mil veces, la espalda larga como un estanque— sin fatigarse nunca de ser el amo, el dueño de toda condición.

«Caprichos de hembra alborotada». Así decía La Goyesca de Adela cuando Vasconcelos enviaba al chofer para recogerla del modesto tablado donde martes y jueves se bailaba. Allí la conoció Vasconcelos un jueves de abril en sesión vespertina. ¿Por qué estaba él esa tarde en el gineceo maltrecho, entre palmas templadas, pechos de fiesta brava y traseros esponjados por la fuerza de zapatos con tacones que estremecían la duela sucia?

«Campo de caza», hubiera dicho con esa voz apagada que en la cólera podía alzarse hasta la fiebre del dominio. Y sí: campo de caza. Vasconcelos emprendía batidas solitarias en los sitios donde las hembras bailan en grupo, elegantes como luciérnagas.

—Venga, niñas —dijo La Goyesca al empezar la clase. El guitarrista rasgó su caja monótona, punteando el aire de las eses arrastradas por la vieja bailarina—. Esto es flamenco y no hay mucho en el mundo del Señor. Venga, hijas, vamos a hablar con los dioses.

El grupo de seis mujeres se puso en fila. A una palmada de la instructora comenzó un flujo irregular. «¡Adela, no te atrases!», gritó La Goyesca. Entonces la vio Vasconcelos entrar a la danza como si la danza fuera su espacio y su costumbre: embistiendo como mascarón de proa, cortando olas que pasaban a su lado, con la sonrisa nívea en los labios y las piernas torres de acero. Altiva, tanto y adecuada para el antojo urgente de Vasconcelos, que por momentos, conforme el baile evolucionaba, atisbaba un perfil que no podía mejorarse, perfecto por irregular.

Cuando terminó la ronda, Vasconcelos ya no estaba. La Goyesca entendió que era mal presagio. Se había ido porque gozaba aplazando sus urgencias. Mejor le sabía el placer al retrasarlo. «¿Y hoy quién?», se preguntó la maestra cuando la rodearon sus hembras jadeantes. Las observó a todas y supo que había sido Adela. «Pobre de ti, ya te vio el lobo», pensó. Y así fue: perseveró el lobo hasta que la tuvo y decidió no soltarla más.

III

Después de que Jacobo Cartola salió de Representaciones Fantásticas Ruano, Amparo tuvo su sobresalto matutino: llegó el dueño, José Ruano, nueve treinta de la mañana, como todas las mañanas de cualquier día del año, sábados y domingos no, desde doce años atrás en que se fundara la empresa de la que era accionista mayoritario y director general.

—Amparo, buenos días —dijo caminando hacia su despacho.

—Buenos días —contestó ella, apresurándose a abrirle la puerta—. ¿Café, licenciado? —siguió, explorando el rostro moreno y reconcentrado de Ruano para otear el día: mal humor, día de perros; sonrisa patronal, jornada tolerable; corbata oscura, tormenta antes del mediodía. La corbata era de cuadros verdes y líneas crema pero la expresión del rostro no era habitual.

—No, gracias. Traiga su libreta, que le voy a dictar.

—Aquí la tengo, licenciado —dijo Amparo, sentándose al filo de la silla antes de que él reposara en el alto sillón ejecutivo.

—Dirigida a Carlos Vasconcelos, accionista y comisario delegado de Representaciones Fantásticas Ruano —dijo con voz neutra—. Lo de rigor —siguió—. Estimado Carlos, esperando se encuentre usted bien, etcétera. Debo informarle que la empresa está en un momento crítico. No me extenderé en datos técnicos, que desde luego obran a su inmediata disposición en nuestras oficinas, acerca de la situación financiera por la que atravesamos, pero hemos llegado a un punto tal que el cierre definitivo de nuestras operaciones debe ser considerado como probable —los ojos de Ruano escudriñaron con detenimiento la reacción de Amparo, pero la secretaria permaneció inmutable, esperando que el otro continuara—. La crisis de liquidez de la que fue oportunamente notificado se ha hecho crónica y en este momento los recursos de Representaciones Fantásticas Ruano difícilmente permitirán cumplir los compromisos del final de mes. Por esa razón lo exhorto a cubrir de inmediato la deuda que tiene contraída con nosotros, en el entendido de que dependemos de ese pago para sobrevivir... no, no le daremos ese gusto —dijo Ruano, imperativo—. Dependemos de ese pago para estabilizar nuestra situación. Póngalo así, Amparo.

—Sí, señor —contestó ella.

—¿Hay algún pendiente, Amparo? —preguntó Ruano, al tiempo que revolvía descuidadamente algunos papeles.

—Ninguno, licenciado. Salvo esta carta, que me imagino enviaremos.

—Sí, Amparo, en seguida. ¿Faltas, retardos, insubordinaciones?

—No, señor, todo en orden. Aunque —y dudó un poco, brevemente— pasó algo curioso en la mañana. Vino el señor Cartola a trabajar.

—¿A trabajar, dice? Pero si se fue hace tres años. ¿Está desempleado?

—Bueno, supongo que sí, licenciado. Pero no vino a pedir trabajo, vino a trabajar.

—No sea críptica, Amparo, explíquese. ¿Llegó como si todavía trabajara con nosotros, así?

—Sí, licenciado, así: como si todavía trabajara aquí.

—¿Y en qué estado venía el tal Cartola, ese pajarraco extraño?

—Como siempre, licenciado, igual que siempre: angustiado, peinado a medias y con la mueca de todos los días.

—Ésa es una más de las ocurrencias de Gardea, Amparo. Tal par de inútiles sólo fabrican estupideces. Uno utiliza al otro, y el otro es feliz al ser utilizado.

—Perdóneme, pero no, licenciado. Gardea también se sorprendió. Y el hipócrita no es tan buen actor, ya lo conozco. Y de paso, licenciado, quiero levantar una queja: me llamó bruja, y el señor Cartola es testigo.

«¡Gardea!» La llamada retumbó por todos los rincones de la oficina, estremeció cristales y escritorios, recorrió con aliento de cíclope todos los departamentos hasta llegar al púlpito del convocado: un hueco minúsculo, atiborrado de papeles esparcidos aquí y allá, con cartulinas de colores sobre cada montón en las que estaba escrita una clave siempre igual: «RFR muerto».

Gardea estaba comiendo una dona y hojeando la sección deportiva de un periódico cuando el grito lo envolvió como una jaula de hierro. «¡Ea, ea, ea!» Los empleados repetían el llamado y Gardea sólo oía las sílabas finales. Salió con parsimonia del archivo y fue saludando mientras las dos docenas de empleados seguían coreando su nombre. Como torero, pensó satisfecho, y llegó ante el despacho del director. Antes de entrar tomó un legajo del escritorio de Amparo y abrió la puerta con gesto de preocupación atareada.

—A sus órdenes, licenciado —dijo con mansedumbre.

—Hace minutos que le hablé, Gardea. ¿Dónde demonios estaba? —graznó Ruano con ojos encendidos.

—Donde siempre, licenciado. Procurando que el archivo parezca tren inglés: puntual, ordenado y eficiente, señor —contestó con la vista en el piso.

Amparo reprimió una carcajada lúgubre cuando vio enrojecer el rostro cetrino de Ruano.

—¿Y lo va logrando, Gardea?

—Es difícil, señor, pero me empeño en ello. Muy pronto me permitiré invitarlo a mi modesto recinto para que usted mismo lo constate. Yo lo respeto como a un padre, licenciado —y al decirlo Gardea se hincó.

—No es para tanto, Gardea, no es para tanto —dijo Ruano, halagado—. Incorpórese, hombre. Y mejor siéntese. Quiero que me diga dos cosas: qué vino a hacer Cartola a la oficina y por qué insultó usted a Amparo.

—Lo primero es difícil, licenciado, porque no lo sé. Lo segundo es más simple pero se va a prestar a confusión. ¿Por dónde empiezo, señor?

—No sea barroco, Gardea. Al punto, al punto —dijo Ruano con acritud—. Contésteme lo que le pregunto. Amparo es una dama que usted calificó de bruja. Y Cartola es un alienado del que usted siempre fue responsable.

—Sí, licenciado, a lo primero. Pero permítame decirle que no a lo segundo.

—¿A cuál primero, Gardea, y a cuál segundo? No me haga desatinar.

—Nunca, señor, nunca. Lejos de mí cualquier afán por confundirlo, y esto con el absoluto respeto del más humilde de sus subordinados. Ninguna mente aquí es tan poderosa como la suya, licenciado. No puedo imaginarme que nadie consiga perturbar su clara lógica, su nítida razón. Por eso es usted el firme timón de este barco feliz, licenciado. ¡Por eso lo queremos tanto! —y al decirlo se incorporó y empezó a aplaudir. Ruano infló el pecho, la satisfacción ronroneaba a su alrededor. Volteó hacia Amparo, que miraba a Gardea con disgusto, esperando que también se sumara a las veloces palmas del otro. Uno, dos, tres segundos y ésta reaccionó: se sumó al aplauso por puro reflejo y palmeó con más intensidad que Gardea. El ruido fue atrayendo a los otros empleados al despacho de la dirección. Todo el que entraba aplaudía, mientras Ruano, ya de pie, prodigaba saludos y caravanas. En el despacho ya no cabía nadie. Afuera, los que no habían podido entrar gritaban vítores y sus palmas eran rítmicas: medido contrapunto a la algarabía del interior.

—¡Unas palabras, licenciado! —y la voz de Gardea dominó el escándalo.

—¡Sí, que hable, que hable! —se oyó desde atrás, mientras los aplausos subían de tono.

Radiante, Ruano pidió silencio moviendo las manos y sonriendo a sus empleados.

—Estoy conmovido, compañeros —dijo, y cortó con decisión un palmeo que amenazaba con aumentar. Gardea demandó lo mismo, y los murmullos se repartieron para calmar a los exaltados—. Estoy conmovido, digo, por esta muestra espontánea de cordialidad laboral, de cariño y de respeto, si se me permite llamar a las cosas por su nombre. Saberse querido es el bálsamo de mis responsabilidades. ¡Gracias, gracias para siempre! Esta mañana sobrevivirá a mis olvidos. Regresen a trabajar, amigos, y llévense todos mi emoción. Este ágape cordial dura ya más de quince minutos. Hoy saldrán un poco más tarde, el tiempo, ¡qué remedio!, es irreparable, pero les reitero a todos las seguridades de mi más alta consideración.

Gardea, otra vez, cortó el sollozo de Ruano: su aplauso fue más rápido. Se movió lentamente hacia atrás mientras obligaba a los otros a hacer lo mismo. Cuando el despacho se vació y sólo quedaron en él Ruano y Amparo, una porra dirigida por Gardea estalló desde afuera. La caricia sonora rebotó en la pulida superficie de madera del escritorio del director, salió por la ventana y se desvaneció entre los ruidos de la calle. Ruano sonrió a Amparo, su rostro estaba transfigurado. —Gardea, Amparo, Gardea. Ese hombre es extraordinario —dijo.

Gardea volvió satisfecho a su archivo. El día se desplazaría despacio, propicio a cavilaciones sin rumbo ni obligación. Como la infancia, que Gardea estaba construyendo con minucia analítica. Tenía un sistema de referencias que le llevó meses perfeccionar. Para escribirlas empleaba cualquier papel que cayera en sus manos. Las tarjetas de control de expedientes, por ejemplo. Ahora, el legajo que había tomado del escritorio de Amparo. Todo consistía en elegir un término al azar. «Ágape», pensó Gardea, que acababa de oírlo de labios de Ruano. Una sonrisa socarrona se colgó de su rostro y así cruzó el largo pasillo que llevaba a su sitio. Abrió la puerta y la cerró de inmediato, ni siquiera Amparo era recibida cuando comunicaba deseos, instrucciones de Ruano, y éste nunca había visitado otra parte de la oficina que su propio despacho.

«Ágape». Gardea escribió la palabra con esmero infantil sobre una tarjeta verde y se quedó absorto ante ella. No creía en la asociación libre —«indeterminables son los flujos de la conciencia», había dicho alguna vez para cerrar una discusión acalorada—, se obligaba a tener preciso el recuerdo infantil que la palabra le suscitara antes de reducirlo a una fórmula que en adelante acompañaría el término y le permitiría recuperar el recuerdo que estuviera en él. Ágape, ágape, y la iluminación llegó. El entrenamiento impuesto le había enseñado ya a ver escenas casi completas de su pasado remoto: ráfagas bien delineadas de momentos atrasados. Ágape. La palabra encerraba una tarde calurosa, de ventanas abiertas y rayos diagonales que bañaban una recámara casi vacía. Era la de Gardea, quien jugaba sobre una alfombra jaspeada con un pequeño camión de lámina. Tendría tres o cuatro años. En el cuarto de junto se escuchaba el llanto de una criatura y el trasiego de su madre, que hablaba para sí misma y en momentos para el chiquillo que lloraba, hermano de Gardea.

El sitio era de una digna pobreza. Minimalismo obligado por una penuria que se esmeraba en mejorar su rostro. Era limpio aunque modestísimo. De la pared colgaban cromos: una Anunciación arrobada que Gardea traía en sueños y vigilias, siempre detrás de ese rostro de virgen doliente que aparecía cuando menos lo esperaba, en tardes de niebla o remiendos televisivos, en coitos o en bodas; otra de las estampas representaba un circo de animales: una cobra se alzaba con un turbante fársico y tañía una flauta con brazos humanos, el león vestía de domador, dos perros de payasos y una avestruz colgaba de un trapecio ilustrado en el punto más extremo de su recorrido; la última era una vista aérea de la Ciudad de México a principios de siglo, manchada por la humedad, que había incorporado trazos y desniveles para reproducir una ciudad fantasmal, cortada en planos superpuestos y coloreada por tonos ocres que desgastaban edificios, perfiles. Ágape: el momento que Gardea veía —o ensoñaba, porque su conciencia estaba ausente de las visiones, éstas surgían turbias, rodaban hasta terminar de pronto y eran tercas ante la convocatoria o la intromisión— era un momento anterior al lenguaje. Ágape: quizá el instante de la certeza de sí. El primer registro donde Gardea pudo saber que a partir de allí se disociaba, que de ser uno irreflexivo ahora sería dos, el que era y aquel que observaba que era. Ágape: porque ese día llegó la conciencia y prometió acompañarlo en seguida. Ágape: día en que se perdió la primera infancia.

Con ritmo de poseído llenó la tarjeta. La visión había terminado y el recuerdo era fresco. Otras veces dejó pasar algunos minutos después de lo visto y cuando quiso distribuirlo en palabras lo perdió. Infancia, sol, cromos, madre, pobreza, hermano, llanto. El rompecabezas tenía una pieza más. Su clave era una voz de acordes antiguos, redonda, esférica: ágape. Gardea soltó la pluma y se frotó los ojos. Ya podía descansar.

IV

Las calles del centro estaban desiertas. Caminar es a veces un ejercicio del alma, pero Jacobo Cartola la había perdido: su caminata no era voluntaria, su alma había quedado, boquiabierta y encogida, en algún lugar de ese día singular. ¿Por qué no regresaba a su casa y restituía el orden que aún por la mañana daban los nombres de las cosas? Porque ya no recordaba dónde vivía, había tirado el portafolios y con él, dirección y teléfono. «En caso de accidente favor de avisar a...» ¿quién? La pregunta lo torturaba. Pensó desandar el camino y volver al sitio donde su portafolios volara hacia lo oscuro en una parábola de la que no sabía la conclusión. ¿Para encontrar qué? ¿Aquello de la mañana: no, discúlpeme, hace años que no vive aquí? Su cuerpo de pájaro grande con alas rotas no soportaría otro extravío. Y además no lo encontraría. «La suerte —recordó a Gardea— siempre es doble: si es buena, dos veces; si es mala, también».

Siguió caminando, rumiando su mueca desgraciada, cuando un automóvil se detuvo con violencia junto a él. Un hombre había saltado de su interior y estaba a centímetros de su rostro. Aliento alcohólico, una mano sobre el bulto de la pistola acinturada, otra zarandeando a Cartola.

—¿Adónde vas tan triste, Barrabás? —dijo con acento rasposo, mientras no dejaba de empujar a Jacobo hacia la pared.

—Me confunde —contestó, asustado—. No me llamo Barrabás.

—¿No, Barrabás? ¿Cómo te llamas? ¿Barra-bás? —y la carcajada dejó ver una dentadura verdosa—. Te pregunté que adónde vas.

—A ninguna parte en especial, señor —contestó Cartola, comprimido entre la pared y la cercanía del hombre, que no dejaba de acariciar su pistola.

—Te invito a un ágape, Barrabás. ¿No vas? —y la risa lo estremeció—. No conocemos las negativas, así que sí vas, ¿verdad? —La mano del hombre se cerraba sobre la clavícula de Jacobo, obligándolo lentamente a resbalar hacia el piso. Antes de que sus rodillas tocaran el suelo lo alzó de un solo impulso—. Vámonos ya —dijo, y lo arrojó hacia el automóvil. Otro movimiento del hombre le impidió estrellarse contra la puerta trasera, que fue abierta desde adentro por quien iba al volante.

—Buenas noches —dijo éste cuando Cartola cayó de bruces sobre el asiento.

—Barrabás —dijo el hombre que lo había obligado a subir—, te presento al Halcón Maltés.

Dos carcajadas silbaron en sus oídos cuando el automóvil abrió la calle con líneas de luz.

—Vete quietecito, Barrabás —dijo el que manejaba—. Nada malo te va a pasar.

La noche estaba clausurada. Nadie en las aceras, pocos autos a la distancia, sombras fugaces y escasísimas. «Surco el vacío», dijo Jacobo Cartola en un murmullo.

—No hables, Barrabás, nos gusta el silencio —dijo su captor.

—Discúlpeme, por favor, sólo una pregunta —imploró Jacobo.

—Una nada más —aceptó el chofer.

—¿Adónde me llevan?

—Al paraíso, Barrabás, al paraíso.

No se volvió a hablar durante el trayecto. Cartola mantuvo el silencio que le exigieron y los hombres se cerraron en sí mismos. El auto subió hacia Las Lomas, las dejó atrás y siguió por la carretera a Toluca. Después entró por un camino lateral y se detuvo delante de una construcción.

—Llegaste, Barrabás —dijo el hombre que lo detuviera—. Bájate y pórtate bien, recuerda que estás en el paraíso.

Un tercero esperaba a pocos pasos del auto y con gesto amable lo invitó a acercarse hacia la puerta de la casa. Era un hombre alto, moreno, bien vestido, de rasgos aguileños y mirada brillosa.

—Buenas noches —dijo, ofreciendo una mano grande a Cartola—. Confío en que no lo hayan maltratado al traerlo hasta aquí —y tomó su brazo con cordialidad para dirigirse hacia donde se veía una estancia iluminada. Cuando entraron, Cartola parpadeó. La estancia era blanca y amplia, sus techos triplicaban la altura habitual y lo único que había en ella era una alfombra oriental de gran tamaño. Cartola la observó como si una voluntad ajena a él lo obligara. Atisbó un ligero palpitar entre sus líneas horizontales, un movimiento rapidísimo que lo sobresaltó. El hombre alto sonrió al ver la sorpresa de Cartola y lo obligó suavemente a seguir hacia delante.

—No —dijo sin soltarlo—, no la pise, ya vio que es un objeto animado —y puso el ejemplo caminando alrededor de la pieza tejida.

—Sígame, tenga la bondad —y su mano apretó un poco más el brazo de Jacobo—. Entiendo que le llaman Barrabás, ¿no es así?

—Ya le expliqué a sus hombres que me confunden —contestó, mirando por encima del hombro hacia la alfombra, pero no pudo notar otra cosa que la geometría de sus hilos centenarios—. No me llamo Barrabás.

—Digamos que sí, que desde hace unos instantes se llama Barrabás. Y no creo que deba importarle. Hoy perdió muchas cosas pero ganó un nombre —dijo el anfitrión, soltando el brazo de Cartola. Habían entrado a un cuarto más pequeño que el primero, tan lleno éste como vacío el otro: de las paredes colgaban grandes cuadros sinfónicos, abigarrados y de formas imprecisas, colores pastel y a la vez encendidos, como si una niebla los desvaneciera a pedazos.

—Siéntese, Barrabás —dijo el hombre—. Vamos a hablar.

V

Cuando Gardea despertó el sol penetraba por los jirones de cortina y punzaba como agujas reclamando atención. Adela aún dormía, indiferente a los rayos que pintaban manchas en su cuerpo agazapado. Era redonda y flexible, el baile le había dejado hábitos que repetía sin saberlo. «Casi gata», se dijo Gardea viéndola. «O mascarón de proa». Se paró de la cama con desgano y fue a la cocineta a prepararse un café. Traía los sueños de la noche enredados en la conciencia. Uno, sobre todos los demás: sin saber cómo Gardea se encontraba en un vagón de tren atestado al límite. Con él venía una mujer a la que abría paso con dificultad. De pronto un hombre alto, idéntico a un viejo y conocido político local, empezó a caminar hacia delante, desplazando a los lados a todos aquellos, innumerables, que impedían avanzar. Gardea puso entre sí y el hombre alto a la mujer, y lentamente, con esfuerzos que resultaban sin término, fueron pasando de vagón en vagón. Cuando llegaron al último, donde estaba el conductor, el hombre alto se había evaporado. Algunos pasajeros ocupaban asientos que más parecían de tranvía que de tren, pero el espacio era desahogado y cómodo. Una paz indudable cayó sobre Gardea. En un asiento largo como diván, forrado de cuero negro, se recostó abrazando a quien lo acompañaba. El tren estaba inmóvil y desde sus grandes ventanas se veía una pequeña estación pueblerina, rodeada por casas con balcones y techos de teja. Nadie caminaba por los andenes, nadie atisbaba por las ventanas de las casas. La neblina suavizaba contornos y formas. Con voz neutra el maquinista anunció: «Señores, estamos en vía muerta. Aquí nos quedaremos quién sabe hasta cuándo». El anuncio no perturbó a Gardea. Estar detenido ahí era correcto y le bastaba, un acuerdo con las cosas y el mundo que las contiene: todo estaba bien. Afuera empezó a caer una fina llovizna blanca. Gardea supo que era de leche, de líneas delgadas y nutricias que alimentaban y lavaban sus tribulaciones. Pudo quedarse en la estación para siempre, tan simple como la ataraxia de quienes ya no viajaban en el tren, sólo estaban en él sin indagar por nada porque todo estaba resuelto. Única tersura de lo que es: no fatalidad ni resignación, tampoco paciencia ni esperanza, sólo estar en el tiempo y el espacio debidos. Como son, como eran: blancos y serenos, suavemente crepusculares, amablemente nostálgicos. No había salida y el tren quedaba detenido. No importaba, Gardea había llegado. Era el final de un viaje cuya conclusión no representaba más que aquella armonía. La mujer reposaba entre sus brazos, lánguida y satisfecha. El deseo no apremiaba a ninguno. Vía muerta, y todas las piezas encajaban en su lugar. Vía muerta, y la vida saldaba generosamente las cuentas olvidadas. Allí quedó, protector y uno, integrado a todo, una sola mirada y un solo corazón, sin pendientes ni espantos, sin recuerdos ni ambiciones, espejo de agua que refleja sin sufrir, esfera cuyo centro es también su circunferencia.

Aunque llegó la mañana y despertó. Otro, que era él, vivía ya ajeno a los sinsabores en un vagón perfecto. Pero éste, también él, preparaba un café matutino y recordaba la revelación de algo que sería o habría sido, quizá que nunca sería. Escéptico el hombre: ¿cómo creer en aquello que enseñaba qué pero no cómo?

Bebió a sorbos el café y preparó otro para Adela. Decidió no ir a trabajar ese día. El anterior había ganado suficientes indulgencias plenarias como para que Ruano tolerara la falta. ¿Qué haría hoy con su serenidad onírica, con el sueño ferroviario de la leche? No lo sabía aún, pero de pronto pensó que debería guardarlo en el cuerpo de Adela, medallón inmejorable. Regresó con cautela al lecho donde ella dormía. Sus manos empezaron a recorrerla entera, irguió sus pezones de niña y revolvió su pubis castaño. La hizo humedecerse como para recibirlo de inmediato. Sobre sus nalgas voló Gardea y entregó el secreto. Blanco también.

El sol piadoso revisó a los amantes, desvió sus agujas y los dejó dormir. Despertaron cuando las doce habían pasado. Somnolienta, Adela recordaba a medias el asalto amoroso de más temprano, atolondrado y directo, como siempre. Las primeras veces trató de imponerle un ritmo, el que fuera. Violento y rapido, moroso y lento, distanciado y cadencioso. Pero resultaba inútil, los espasmos de Gardea siempre eran iguales. Su mirada refulgía para opacarse y detrás de esos ojos grandes Adela adivinaba un diálogo ajeno que se imponía cuando el deseo mandaba en su piel.

—Nadie me enseñó, niña, y ya no puedo aprender —decía.

—Mientes, Gardea. Sí te enseñaron, pero aprendiste mal. ¿Quién te inició? ¿Cómo lo hizo? —preguntaba ella.

—Las putas, niña, sólo las putas. Rápidas, silenciosas, indiferentes. Y casi siempre feas, pero siempre dispuestas —contestaba con desgano—. Mejor cuéntame de ti. ¿De dónde tanto arte, niña, tanta experiencia?

—No te burles, Gardea, no es mucha.

—Pero suficiente para saber que lo hago mal.

—Suficiente para saber que lo deberías hacer mejor. No piensas en mí, Gardea —y Adela se retiraba dolida porque reclamaba, débil entonces.

—¿No fuiste a trabajar? —preguntó ella, incorporada en la cama.

—No —dijo Gardea—, me dieron el día. O me lo di, es igual.

—¿Y qué vas a hacer hoy? —insistió.

—Lo que tú quieras, niña. Vamos a dar una vuelta, hoy tuve un sueño y te lo quiero contar.

El miedo se dibujó de nuevo en el rostro de Adela. Sus ojos se cerraron y dijo no con la cabeza. Caminó por la estancia sorteando obstáculos hasta llegar al pequeño baño. No, volvió a decir antes de cerrar la puerta. Y la negativa se alojó en Gardea.

VI

—Vamos a hablar —dijo Carlos Vasconcelos, desde un sillón que parecía episcopal—. ¿Quiere tomar algo antes, Barrabás? —y jaló hacia sí úna pequeña mesita con botellas y copas que estaba cerca del escritorio.

—El alcohol conforta, Barrabás. Sosiega el espíritu y calienta el cuerpo —dijo, mientras servía dos copas de un líquido dorado—. Brandy, Barrabás. Salud.

Jacobo bebió la suya de un trago y la regresó para recibir una segunda dosis. Vasconcelos la sirvió mirándolo con indiferencia.

—¿Cuál es su nombre? —preguntó directamente Cartola.

—¿Mi nombre? —dijo el anfitrión con suavidad—. El que usted diga. Si a usted le cambiamos el suyo, usted puede cambiar el mío. ¿Cuál le gusta, Barrabás? Dígame, ¿cómo debo llamarme?

—Yo no bautizo a nadie —replicó Cartola con energía—. Prefiero los nombres reales. El mío es...

—No me interesa, guárdeselo. El nombre, dicen los nominalistas, es la cosa y su atributo. Por eso prefiero obviar el suyo y cederle el mío. Nos da más libertad, ¿no cree?

—¿Libertad, dice? No para mí. Estoy aquí contra mi voluntad —respondió Jacobo, y acercó su copa hacia Vasconcelos por tercera vez.

—Sí y no, Barrabás. Por un lado la curiosidad lo inquieta. Por otro, debo decírselo, usted no tiene albedrío. De hecho no tiene nada. Hoy perdió todo, ¿no es así? —y sirvió la nueva dosis.

—¿Cómo lo sabe? —replicó Jacobo, asustado—. ¿Usted lo hizo?

Vasconcelos sonrió.

—No, ponerlo en esos términos no sería exacto, Barrabás, y a veces practico la economía de la verdad. Hay días en que la precisión, la versión justa, me parecen obligadas. Tuvo suerte en venir a mí precisamente hoy. Pero usted pregunta que cómo lo sé. Es simple: puedo decirle que lo sé porque me he ejercitado en ver lo que otros no perciben, o que lo sé porque su gesto lo revela, o que lo sé porque a todos les ocurre. Elija la respuesta que quiera.

Uno de los hombres que había detenido a Cartola apareció de pronto atrás de Vasconcelos. Le habló al oído y Vasconcelos se levantó.

—Continuaremos después, Barrabás. Se me dice que ya estamos listos. Le suplico que nos acompañe —sus palabras eran imperativas y con un gesto seco pidió a Cartola que se incorporara—. Venga conmigo, verá a otros como usted.

El hombre que le había hablado reprimió una mueca despreciativa y se colocó junto a Jacobo. Los tres caminaron por un pasillo a la izquierda de la mesa donde hablaron. Pequeños fanales iluminaban con triángulos de luz opaca las estrechas y desnudas paredes. El brandy trabajaba ya en Cartola. No había angustia o recelo, como antes. Sólo una certeza inaudita para él momentos atrás: no era el único, «otros como usted». Empezaba a confiar en el hombre alto y resolvió ponerle un nombre. ¿Cuál? Athana: no, era barroco, cursilería esotérica, exótico. Voland: tampoco, referencia literaria, inaplicable. Ramos. ¿Ramos? No, se dijo Jacobo, ¿para qué?

Cuando mentalmente buscó un nombre, aquél desapareció. Jacobo descubrió que ya no encabezaba la marcha. El hombre que venía detrás lo detuvo y abrió una puerta oscura adosada a la pared. Cambió la luz: entraron a un salón donde gruesas columnas rematadas por capiteles jónicos subían veloces hasta un techo coronado de grandes vigas sin labrar. La iluminación recordaba las medias penumbras y los desiguales brillos de un teatro. También los decorados. A la distancia, sobre un frontis elevado por varios escalones, colgaban telas de pesados pliegues y austeros colores. El piso contenía un mosaico cerrado por una línea circular. Desde el lugar de Jacobo se veía como un trazo oscuro, informe, que crucificaba todo el círculo. A su alrededor estaban sentados otros «como usted», según aquél. El hombre lo apuró para acercarse a la rueda.

Dos sillas juntas estaban vacías. En cuanto tomaron asiento, todos hablaron a la vez.

—Lo he dicho y lo repito: no es no —dijo un hombre cincuentón, de corbata floreada.

—Estando donde estaba no podía —y quien lo dijo gesticulaba con una pequeña caja de lámina en la mano.

—Pero entonces no había lo que se buscaba, apenas —dijo otro que aprovechaba un lápiz para dirigirse a cualquiera.

—Era muy claro, yo lo veía anudar la red que caería sobre nosotros —interpuso un hombre calvo vestido de overol.

—Viajar por carretera al oscurecer nunca me ha gustado —acotó uno que se movía con impaciencia sobre la silla.

Desde el fondo sonó una voz imperativa. Era Vasconcelos, que descendía los escalones por el frontis dirigiéndose hacia el círculo. Había cambiado el traje de momentos atrás por otro negro y cruzado. Llevaba una corbata igual, negra, que rompía con la pulcritud de la camisa blanquísima.

El vocerío quedó dominado por su aparición. Uno a uno, todos guardaron un silencio reverencial. Cuando llegó hasta el círculo, quien estaba sentado junto a Jacobo se incorporó. Esbozó una suerte de inclinación y fue hacia la puerta por la que había entrado. Vasconcelos se sentó con parsimonia en la silla que quedaba vacía. Enfrentó rostro por rostro sin decir nada hasta que tocó su turno a Cartola. La mirada que le dirigió fue prolongada, entre risueña e implorante, pero su gesto conservó una seriedad solemne. Por fin habló.

—Amigos —resonó su voz—, nos reunimos esta noche para confraternizar con uno más de los extraviados. Su nombre es Barrabás. Como verán, es un sujeto tan elemental como cualquiera de ustedes. Llega a nosotros como en su día llegó cada uno: desconcertado, indispuesto, sin entender signos o promesas, cansado de sí, solitario —el tono de Vasconcelos era declarativo, ampuloso, pero la atención de sus oyentes absoluta—. Se le aseguró un ágape cuando se le trajo hasta aquí, y un ágape le daremos. Pregúntenle si quiere hablar —la orden no iba dirigida a nadie en particular, pero el hombre cincuentón de corbata floreada la atendió.

—Barrabás, ¿tiene algo que contarnos, algo de lo que quiera conversar? —y volteó con deferencia hacia Vasconcelos.

—Si él no quiere hacerlo, yo sí —exclamó de pronto quien estaba vestido de overol. Al momento surgió un murmullo inquieto que fue propagándose con rapidez entre todos. Un solo ademán de Vasconcelos bastó para restañar la calma.

—La noche tiene propietario —dijo, y miró con dureza al del overol. Éste bajó la vista y pareció empequeñecer.

Una voluntad ajena impulsó a Cartola. Se puso de pie, caminó hacia el centro del círculo y comenzó a hablar. Ligero: así se sentía. Elocuente: así lo fue.

—No sé qué hora es, si es de día o de madrugada. Tampoco quiénes son ustedes. El hombre dijo que son «otros como usted». Usted soy yo, pero yo no sé quién soy. Hoy, ayer, cualquier día, perdí tres años al salir de un subterráneo. Quise hablar con mi mujer y nadie sabe de ella, vi a mis compañeros de oficina y tampoco saben de mí, aunque Gardea debió ayudarme, hasta ayer era mi amigo insustituible y hoy me llamó irresponsable, no me creyó. Cometí un error costoso: tiré mi portafolios y en él llevaba el balance del lugar donde trabajo. Las cifras son piedras de cristal. No hay remedio, Representaciones Fantásticas Ruano está con un pie en la quiebra —la mirada de Vasconcelos congeló esas palabras pero nadie, tampoco Jacobo, percibió su atención expandida—. En mi cartera traigo un abono de transporte atrasado y dos billetes de diez pesos. No es que mi mujer sea avara, como dice Gardea. Me da lo suficiente, pero tiene razón en irme a la mano. Alguna vez me gasté en una noche toda la quincena. Fue en el cumpleaños de Esmeralda que celebramos en El Redondel, sitio espléndido: bien situado, buen servicio, gente decente sus dueños, precios moderados. Aunque esa vez corrió la lumbre entre mis manos. Gardea me advirtió que Esmeralda estaba lista para mí, y yo lo sabía. Su pudor femenino le había impedido acercárseme. Es una dama, y nunca aceptaré las calumnias de Gardea. Me consta que Esmeralda no tiene tratos con nadie de la oficina que vayan más allá de una sana, correcta camaradería. Que los despechados no lo entiendan así, es otra cosa. Hasta Gardea, que la difama por rencor. Iba de verde, como lo que es: una esmeralda —el anillo de rostros que lo escuchaba cambió. La noche era en El Redondel y Esmeralda lo miraba con una mesa cantinera de por medio. A su lado estaba el compinche y en el otro asiento Valdés, el contable que trabajaba en Nóminas. Todo el rato Esmeralda había cuchicheado con Gardea. Sin incluir a los otros dos, estallaban en carcajadas que iban subiendo de tono. Cartola callaba al igual que Valdés. Poco tenía que decirle a Esmeralda, a no ser que le confesara cómo la traía en las ganas, cuánto soñaba con ella, la vida compartida que su imaginación había elaborado a sus espaldas, los traslados por territorios donde el deseo hacía de Esmeralda una presencia inevitable: en el dolor y la paciencia, en el hastío y la humildad, en la cama estrecha donde Cartola velaba su hueco, en las masturbaciones incontinentes que nunca alcanzaban a representar otra cosa que sus pechos cubiertos cuando ya llegaba al clímax, en las caminatas crepusculares donde el pensamiento salía de cauce y de repente hablaba con una Esmeralda que nunca podría marchar a su lado, en las defensas ingenuas, enamoradas, alrededor de una hembra deseosa que se había entregado a todos los hombres de la oficina.

—Sólo le faltas tú —decía Gardea con miel en los labios—, y lo vale, hermano, lo vale. Tú eres el último porque eres el que más le gusta —y la mentira no mellaba su convicción fraterna.

—¿Está triste o está aburrido, Jacobo? —la meliflua voz de Esmeralda se desprendió de otro de los chistes sucios de Gardea.

—No, Esmeraldita, cómo cree —contestó Jacobo, atropellado y tímido.

—¿Por qué me aplica siempre el diminutivo, eh? —y sonrió pícara, con esos hoyuelos apenas sugeridos que Cartola gozaba como un esteta.

—Pues porque hasta ahorita no ha podido aplicarte el superlativo, mi alma —tronó Gardea, entre las carcajadas festivas de ella y Valdés. Jacobo enrojeció.

—Me parece una broma de lo más vulgar, Gardea —dijo Jacobo, reconcentrado en el agravio.

—Pero usted no tiene sentido del humor, señor Cartola —y ya no había sonrisa sino encono—. ¿Por qué es tan fúnebre, tan estirado? —los ojos de Esmeralda despedían brillos frívolos.

Si Cartola hubiera sido otro, la respuesta también: porque yo sí la amo, promiscua irreparable, seductora vulgar, puta solitaria. Pero era quien era, cortés caballero de su temor.

—Discúlpeme, Esmeraldita, por favor. Es que Gardea se propasa, no son bromas para una señorita como usted —contestó cohibido. Las risotadas de Gardea arrastraron a Valdés. Esmeralda alargó la mano hasta tocar la de él.

—Es usted anticuado, Jacobo, pero es un hombre bueno. Lástima que entienda tan poco. Mi vaso está vacío —dijo, y retiró su mano de agua cristalina. Jacobo repitió su generosidad toda la noche. Otra ronda cuando alguno la solicitaba, otra ronda cuando la esperanza le prometía que la mujer sería suya, otra ronda cuando la culpa atenazaba su corazón miedoso, otra ronda cuando el abismo estaba a sus pies.

—Siga, Barrabás, no se detenga —dijo Vasconcelos con su voz sacerdotal—. ¿Cómo acabó esa noche? ¿La hizo suya? ¿Tocó esa piel, entró a ella?

Jacobo Cartola despertó del ensueño.

—No —dijo en un susurro—, nunca fue para mí.

VII

Aquella tarde Ruano salió con prisa. Parsimonioso y solemne, su ritmo de siempre era sosegado. La seriedad era para él una cadencia de gestos pétreos, oraculares. La prisa como bastardía, los apuros como signo de la subordinación. «Sólo los esclavos corren», afirmó alguna vez. Aquella tarde corrió como si lo fuera. El timbrazo fue más prolongado que los habituales. Amparo entró al despacho de Ruano apremiada por el llamado.

—Tengo que irme en este instante, Amparo. Dígale al chofer que ahora bajo.

Amparo no tuvo tiempo de cumplir el encargo cuando ya Ruano estaba en las escaleras. Su automóvil se retrasó esos minutos que lo hacían desesperar tanto. Años atrás, cuando Ruano era un pobre provinciano, casi famélico, una vidente de feria le había anticipado su futuro: «tu condena es la impaciencia, por eso pareces moroso, lento. Pero tu barro viene de un infierno donde siempre hay prisa. Si no la cuidas, acabará matándote».

Años atrás: los recuerdos eran otro apresuramiento que apenas toleraba. Atrás era un espejo para no visitarse nunca. Estaban en él los registros humillantes del camino ascendente, las inclinaciones calculadas por la ambición. La pobreza y sus reclamos cenicientos: los alguna vez será mío, los con el tiempo ya verán. Nadie suma tanto como quien no tiene: se cuenta lo que no hay y lo que no habrá, igual que lo que no ha habido. Y tuvo muy poco; de no ser a sí mismo, nada. Le preguntaban por su pasado y sólo extendía grandes, burdos trazos: orfandad temprana, intemperie pueblerina, tesón a contracorriente.

Había nacido en un pueblo sombreado de Los Altos de Jalisco. Su padre, Adalberto Ruano Antúnez, nunca tuvo apalabrada a la suerte buena. Sus tratos nada más se establecieron con la mala, a la que sirvió con rigor ejemplar. «Como don Beto», así decía la gente del pueblo cuando el infortunio rondaba sus puertas. «Como don Beto», igual para fallecimientos súbitos que para cosechas magras, lo mismo para el incendio de un granero que para un descalabro en el amor. Todo ocurrió entre los Ruano y todo lo que ocurrió era malo. La madre se cansó de tanta adversidad un mes de mayo, en junio estaba de muerte y en julio se fue. El padre paseó sus infortunios por las calles del pueblillo de hojalata, polemizó con presencias que solamente él veía, madrugó para vociferar en calles vacías, escandalizó en templos introvertidos y un día se colgó en el dintel de su casa devorado por la aflicción.

Durante años Ruano fue el hijo de don Beto, apresurado para salírsele a la desgracia de su bolsa oscura, hasta que se fue de ese rincón estrecho en el que no tenía lugar. Años atrás.

El voluminoso automóvil salió por fin del estacionamiento. Bastaron esos instantes para ensombrecer a Ruano. Castigó al chofer con palabras duras y le ordenó dirigirse a una vieja casona de la San Miguel Chapultepec que visitaba una o dos veces por mes. El tráfico era denso y tardaron en llegar. En el camino Ruano se sintió más viejo. Esperar, recordar, envejecer. Siempre la misma ecuación.

—¿Regreso más tarde, licenciado? —preguntó el chofer.

—No, déjame el auto a la mano y vete —dijo Ruano, saliendo trabajosamente del asiento trasero. Las puertas de cristal de un edificio reflejaron a un hombre encorvado, teñido de tiempo. Ruano se enderezó mientras llegaba a la puerta de la casa y tocaba el timbre. Su rostro marchito, enmarcado por un cabello sospechosamente negro, pareció recobrar un vigor empeñoso. La puerta se abrió y Ruano caminó con pasos dominantes hasta el patio lleno de gatos desde el que se distribuían las habitaciones del lugar.

—Buenas noches, licenciado —dijo la anciana que lo recibiera.

—Buenas, Natalia. ¿Podré ver a la señora Berriozábal? —inquirió Ruano, mientras entregaba su abrigo a la mujer y disuadía a un gato que se frotaba en sus pantalones.

—Tendrá que esperar un poco, licenciado. La señora todavía está ocupada. Pase por acá —contestó la anciana, y condujo a Ruano a una pequeña habitación lateral. La puerta se cerró detrás de Ruano, quien fue a sentarse en un sillón versallesco, con el tapiz roto por varios sitios y la guata del relleno saliéndose allí, rojo como los tonos predominantes en esa estancia ruinosa. ¿Por qué aquí?, se preguntó, tratando de recordar las veces que había hecho antesala en el mismo lugar. No era igual que las otras tres posibilidades de espera. Ni la banca de madera verde que miraba al patio, ni el cuarto blanco del cielorraso destrozado de un tirón, que descubría las vértebras apolilladas de la casa, tampoco el salón negro alguna vez atisbado y el cual, según la señora, era el sitio donde ocurría la misma ceremonia. Salvo en ése, en todos alguna vez había esperado.

Después de un largo rato, de otra espera, otros recuerdos, otra vejez, Natalia llamó a la puerta.

—La señora está lista, licenciado. Sígame, por favor.

Ruano deslizó algunos billetes en la bolsa del delantal de la sirvienta y cruzó de nuevo el corredor de la casa entre maullidos suplicantes hasta una puerta de madera pintada con cierta impericia en sus dos hojas. Un pavorreal adornaba una de ellas, la otra ostentaba una salamandra que dirigía la cabeza hacia su vecino inmóvil. La anciana tocó suavemente. Respondió una voz áspera y la anciana dobló el picaporte. Ruano vislumbró apenas a una mujer que desde el fondo de la estancia le sonreía.

—Licenciado Ruano, buenas noches —dijo una mujer mayor, menuda, vestida de negro de pies a cabeza, maquillada en exceso y llena de colguijos.

—Buenas noches, señora Berriozábal —contestó Ruano, avanzando hacia ella hasta tomar su mano y besarla con respeto.

—Siéntese conmigo —de la mano lo llevó hasta la ancha cama que dominaba la habitación—. La vida es un enigma insoportable por momentos, ¿no cree? —y siguió sin esperar respuesta—. He dedicado casi todos mis días a entenderla, pero ahora sé que es imposible. Hay atisbos, nada más. Pequeñas grietas que nos permiten ver fragmentos de una realidad tan manifiesta como secreta. Pero juntar esos pedazos y darles coherencia, tejer con ellos el sentido de las cosas. ¡Ay, licenciado, si se pudiera! Mis vidas anteriores no me han bastado para ese empeño, y ésta tampoco me alcanzará.

Ruano la oía en silencio. No asentía ante las quejas de ella, sólo veía sus ojos desmedidos, tan jóvenes como su rostro era viejo, un pozo donde su carne se deshojaba.

—Todos los dones cuestan, licenciado. Pero el mío ha sido más caro que cualquiera. Caro y solitario. A nadie puede entregarse, con nadie puede compartirse.

La señora volvió a tomar con fuerza la mano de Ruano y guardó silencio. Un punto que se sostenía en alguna parte del recinto la sobresaltó.

—Vea —dijo—. Allí están esos acreedores. Cada vez más cerca, aguardando el día en que cobrarán conocimientos que me fueron dados sin que yo lo pidiera, sin que yo supiera por qué se me entregaban. Es tan tarde, licenciado. El mundo se prepara para irse de mí.

Soltó la mano de Ruano, hizo un gesto de rechazo hacia el punto que la había conmovido y cerró los ojos. Afuera empezó a caer una lluvia menuda. El ruido del agua se filtraba apenas a la estancia donde Ruano aguardaba la voz de la señora Berriozábal. Tambores minúsculos, sincopados.

Una tarde encapotada por el viento del norte, una joven pareja se embarcó en Veracruz hacia Francia. Los dos eran jóvenes, recién casados, y las crónicas contaban de su belleza superior. Salían del país por uno de los tantos vuelcos de la política. El padre de ella huía derrotado por la ambición propia y las victorias ajenas. General, le decían a bordo del barco indiferente, y general le siguieron diciendo en todos los días de su exilio sin retorno.

Los jóvenes sólo vivían para celebrarse entre ellos. Carmen Berriozábal era un milagro intacto y Elías Molinero lo recorría con pulso de orfebre. El sol de esa travesía marina venía a arrullarse junto a dos que separados no tenían reposo. Cuerpos ebrios de sí, ahítos y aún insatisfechos. Pero hubo noches negras. El placer de la pareja alcanzaba un lugar inexplorado y Carmen descendía por él, sola, absorta en sensaciones que se negaba a recibir sin violencia. La doncella cambiaba máscaras: la dama del mediodía, esa del agua y de la brisa, era por momentos una aprendiz sombría, árida y exacta como los minerales al dormir. Algún demonio balbuceaba a través de esa mujer que empezaba a ver sin temor el reverso del deseo. Entonces la belleza destruía el equilibrio de su propia perfección, deformaba sus rasgos y jadeaba con voces patibularias para convocar a entidades que aún no sabía nombrar. Elías escapaba a cualquier rincón del estrecho camarote y veía a ese camaleón envilecido por alientos y caricias invisibles, por risotadas chirriantes como látigos de metal.

A veces el mar es un espejo ciego que brilla sin reflejar lo que surca su superficie. Cuando el barco llegó a su destino, Carmen Berriozábal ya no pertenecía a Elías Molinero. Desembarcó diferenciada, más arrogante que de costumbre: traía al mundo atado en su pañuelo de organdí.

—¿Qué lo hace venir a nosotros, licenciado? —preguntó la mujer, acercando a Ruano su aliento irregular.

—Lo de siempre, señora, lo de siempre —contestó él—. Sigo entre las cosas sin saber nada de ellas. Observo con todo cuidado la caja que usted me dio...

—No es una caja, licenciado —corrigió ella.

—Sí, tiene razón. El objeto, pues, el escenario. Lo estudio

durante horas, he atendido sus instrucciones y hasta hoy no ha ocurrido aquello que usted advirtió que pasaría.

—Con la impaciencia no se construye nada, licenciado. Lo sabe tan bien como yo. La verdad no decae, pero sus formas son viejas y se desvanecen como la escarcha. ¿Había escuchado eso alguna vez? —dijo.

—No creo, señora. A nadie he escuchado decir lo que dice usted.

—Dígame, licenciado, ¿conoce la operación de los magos?

—No, señora, no como tal —contestó Ruano, y un frío repentino se le coló en el cuerpo, un temblor tan rápido como un suspiro.

—Los magos no cambian el mundo —dijo la señora sentenciosamente—. Los magos sólo cambian su percepción del mundo. Sólo así se modifica esa realidad aparente que atribula a todos. El objeto que le di, eso que usted llama caja, cumple para tal fin. Pero tiene que meterse en sus entrañas, licenciado, y meterse a algo es no salir de él —la tos cortó las palabras de la mujer, que se dobló sobre sí misma como la hoja de una navaja guardada aprisa. Ruano intentó auxiliarla pero la anciana rechazó su contacto con un gesto tajante. Los estallidos de tos zarandeaban su cuerpo disminuido, cuando la puerta se abrió. Era Natalia, quien venía con una charola llena de frascos, un vaso, algodón, un gotero. Ruano se puso de pie y se alejó hacia la ventana encortinada. Los silbidos de la garganta taladraban la estancia. «Niña, niña, regrese», decía la criada, mientras le frotaba en la nuca alguna esencia tomada de los frascos. Un suave canto se elevó después de un rato: «Píchicu, píchicu». La criada balanceaba entre sus brazos a la otra mientras repetía esa palabra salmodia, conjuro, encantamiento, y Carmen regresó a su cuerpo. Su respiración se hizo regular, acompasada, los sobresaltos terminaron. La palabra pareció quebrarse en el aire y caer como escarcha.

—Discúlpeme, licenciado, por favor —dijo ella, volteando hacia Ruano que estaba de pie atrás del diván—. Morirse duele.

Ruano contestó con una sonrisa comprensiva:

—No diga eso, señora. Es una dolencia pasajera. Y Natalia sabe curarla, ¿verdad?

La anciana rió como si regresaran los estertores de momentos atrás.

—Natalia no sabe nada —exclamó brutalmente—. Sólo repite esa palabra triste y estúpida de cuando tuve al mundo atado en mi pañuelo de organdí.

La criada salió y Carmen Berriozábal parecía fatigada.

El maquillaje de su rostro estaba hecho de polvos endurecidos, que realzaban la profundidad de los surcos que lo recorrían.

—¿Sigue lloviendo, licenciado? —preguntó la anciana.

—Parece que ya ha pasado, señora. No se escucha desde aquí —contestó él.

—No, la lluvia nunca pasa. Dejamos de verla, eso es todo. Nunca ha dejado de llover. Lágrimas, plegarias, maldiciones, suspiros: globos inmundos que suben y descienden. Pero esa clase de lluvia no moja el cuerpo, licenciado, solamente ensucia.

La mujer hizo una pausa. En el silencio de la habitación Ruano escuchó que el agua volvía a golpear en las ventanas.

—¿Lo ve? —dijo ella, incorporándose como un animal que escudriña sonidos amenazantes—. Nunca se va la lluvia.

Dos hilos húmedos bajaron de los ojos de la anciana. Parecía lluvia en lenta caída. Ruano creyó advertir que las esferas giraban lentamente. No era cierto. La imaginación que no puede con el mundo se vuelve ilusión.

Cuando Ruano salió de la casa la noche aún no doblaba las esquinas: seguía allí, imperturbable pero seca. ¿La lluvia? Otra ilusión.

VIII

Un perro observaba el cielo nublado de esa tarde parisina. Gris, plomiza, apagada y húmeda. La familia Berriozábal y Elías Molinero desembarcaron hasta llegar al cómodo piso de la Rue Molière. Se repartieron las habitaciones con la benevolencia del patriarca, que decía que sí a cualquier sugerencia, triste en adelante como aquellos que dejaron los sentidos en un lugar al que nunca regresarán. General, aun en esa casa de balcones y hierros forjados, de maderas abrillantadas por generaciones devotas, de vidrios emplomados para filtrar la luz. General en las mañanas insípidas, General en los veranos incandescentes, General en los abismos nocturnos de Carmen, General para el miedo múltiple de los oficios negros a los que el yerno asistía contra su voluntad.

—General —le dijo Elías Molinero, unas semanas después de haberse establecido en la casa—. Necesito hablar con usted de un asunto delicado. Se trata de Carmen.

El hombre se desprendió de su sopor de todos los días, cuando los ojos quedan fijos en imágenes que no están.

—Dígame, Elías —repuso, con esa voz engolada que después de años ya era la suya—. Dígame, ¿qué le ocurre a nuestra Carmen?

Elías era un hombre comedido. La realidad molestaba su delicada arquitectura, que estaba hecha de vacío. Encantador, decían quienes le profesaban simpatía a su belleza sosegada. Vacuo, según quienes envidiaban la buena estrella de Molinero y creían que su calma de costumbre sólo era un disfraz. No tenía con qué remediar los extravíos de Carmen, su pulso no domaba ni los espasmos de su propio cuerpo.

—General —repitió Elías ante la mirada ausente del viejo—, permítame mostrarle algo. Se despojó del saco y lo colocó sobre una silla. Sacó los faldones de la camisa y la desabotonó—. Quiero mostrarle mi espalda —dijo, y desnudó su torso—. Véala, por favor.

—¡Santo Dios! —exclamó el General—. ¿Quién le ha hecho tal carnicería?

—Carmen, General —contestó Elías.

IX

La negativa de Adela ensombreció a Gardea. Su encierro había sido pertinaz, desmedido. Casi gato prometiendo dar un salto que invariablemente quedaba para mañana, como la limpieza, como la explicación que le debía a Gardea. Todo mañana, porque si no, no. Sí porque sí, no porque no y sí pero no. Gardea recordó la insuperable conjetura del maestro misógino: así piensan las mujeres, ese género imprevisible, insustituible. Indispensable, además.

—¿Vas a salir conmigo o no, niña?

—Hoy no, Gardea, a lo mejor mañana.

—¿Y por qué hoy no?

—Porque no.

—¡Carajo, Adela!

—No me hables así.

—En mi casa hablo como quiero, niña.

—No cuando yo estoy.

—Pero tú estás siempre.

—Entonces háblame bien.

—Sí, princesa, no faltaba más. ¿En francés?

—No exageres, Gardea. Sólo hazlo decentemente.

—Decentemente, ¡*merde*! ¿Me vas a acompañar o no?

—¿Adónde, Gardea?

—Aquí a la vuelta, niña. Al vapor.

¿Agorafobia? Lo llegó a pensar Gardea. Pero el terror de Adela no era salir sino una consecuencia por hacerlo. Y un sordo pudor había cerrado su voluntad para explicar el confinamiento a que se sometiera desde la primera noche, cuando su risa ventiló un espacio hasta entonces vuelto a sus propios, clausurados humores. «El aire nuevo entra por grietas y rendijas, pero los torbellinos purificadores penetran por puertas que se creían inviolables, cerradas para toda la eternidad de los hombres. Anoche: casi gato». En alguna de sus multicolores tarjetas Gardea escribió esas líneas asombradas. Nadie sabía de la estancia de Adela en los estrechos cuartos de Gardea, a nadie le había contado él de su complacencia. La razón para ello era la soledad, esa moneda que exige, requiere silencio. La segunda, el suspenso incrédulo sobre lo que ocurre, la vieja certeza de que la fortuna siempre se equivoca cuando pasa tan cerca y puede arrepentirse si el ruido de la sorpresa la hace volver sobre sus pasos. Gardea no creía que Adela hubiera llegado a él porque le tocaba. Alguien, algo había cometido una equivocación mayúscula. Que lo indagaran por su cuenta: él no haría nada para facilitar la enmienda. Ni siquiera exigir respuestas y romper el sortilegio. Por eso, paciencia. Aunque fuera un plano táctico del dolor anticipado, de la angustia por perder lo ilegítimo. ¿Qué? Para Gardea, casi todo, y antes que todo, Adela, esa paloma de boca humedecida.

Al fin salieron del departamento. Adela cubierta por un largo mantón florido y de mal gusto, con lentes oscuros de los que Gardea no reconocía procedencia, con pasos menudos que desmentían su elasticidad ganada entre alegrías y por soleás. «Soledades», corregía Gardea. No, contestaba la paloma: «soleás», los andaluces cortan letras inútiles. Bueno, aceptaba Gardea, ahora diremos «Ios».

—Pero a Dios no puedes cancelarle una letra.

—¿Tú crees que se entera?

El centro de la ciudad era un caldero burbujeante, más de mediodía y el hormiguero reventaba de animación. Caminar con una hembra hermosa y hacer del mundo el lugar de lo indicado. Aunque los demás sean una oscura desbandada. Gardea saca a su paloma para que el sol la bese. Gardea es el sol y besa a su paloma.

—Pero aquí no, Gardea. Estamos en la calle.

—Aquí y allá, niña. Se ofrece en todas partes.

Hay catedrales que alivian la orfandad de los hombres. Quien entra a ellas no siempre busca un consuelo incorpóreo. Quiere la piedra, el canto de columnas que trepan hasta donde el espíritu se cuida a sí mismo, la curva de arcos fabricados para que un día los visite un astro y quepa en ellos cómodamente, la pátina que las plegarias han dejado en muros de cicatrices invisibles, la luz de pequeñas velas suplicantes, el gasto piadoso de pisos que se han recorrido como si los años no fueran una medida adversa, la paciencia de actos que no se explican entre las cuentas de lo diario. Hay mujeres que son catedrales. Su casa es un lugar secreto donde el fuego siempre está encendido. Curan heridas y ofrecen agua de pozos desconocidos. Besan con la boca abierta y clavan su lengua de serpiente curiosa, mientras sus manos recorren un cuerpo para repararlo, para enmendar la imperfección de un horno que se apagó antes de tiempo.

Adela y Gardea entraron a los Baños Emperador, un establecimiento cercano que a esas horas del día estaba casi vacío. Gardea pidió un vapor privado, dos jugos de naranja, compró jabones y estropajos y antes de pagarlo todo en la caja volteó hacia Adela. El mantón floreado caía sobre los hombros y la cascada de sortijas danzaba sobre su espalda sin movimiento alguno. Por el espejo que recorría toda la pared del mostrador de los baños, Adela vio de soslayo a un hombre sentado en un sillón frente a ellos, que simulaba leer un periódico de la mañana. Adela notó que la observaba. Volvió a cubrirse con un gesto nervioso y apuró a Gardea. Empezó a caminar hacia el interior del establecimiento hasta llegar a una pequeña puerta metálica pintada de gris. Detrás venían Gardea y un hombre calzado con sandalias de goma que cargaba toallas almidonadas. «Dieciocho: éste es», dijo Gardea con voz alegre, «el nido de la paloma», y remató con una carcajada que el hombre que los seguía coreó con aire de entendido.

—¿Viste al que estaba sentado en la entrada? —preguntó Adela cuando la puerta del baño quedó cerrada.

—Sí —contestó Gardea—, algún desocupado, niña. ¿Por qué?

—Por nada —dijo ella, y la cascada abandonó la cárcel del mantón.

Gardea descansó sobre uno de los dos divanes forrados de plástico azul que estaban afuera de la estufa de vapor. Su vida había sido veloz. Conejo de Alicia —«me voy, me voy, se me hace tarde hoy»— o Duque de Borgoña —«tenemos prisa»—, Gardea estaría con muchos y con nadie, despidiéndose para llegar a un sitio, a algún momento cuya materialización siempre quedaba pendiente. «Rapidito, rapidito». Sonrió para sí al repetirse lo que desde que tenía uso de razón se repetía. Abreviar, sintetizar el mundo, resumir sus asuntos y sus discursos y saltar a lo siguiente. Loca carrera de postas.

—Pero así es el mundo —dijo Gardea, complaciente, complacido porque Adela se desnudaba.

—¿Cómo es el mundo, dices?

—El mundo es como tu cuerpo, niña. Las primeras veces uno lo recorre de prisa porque cree que nunca va a repetirse. Después, cuando la costumbre multiplica el milagro, llegan la calma y la paciencia, otra suerte de conocimiento. Tú eres mi calma, también mi espera: las únicas que hasta hoy he tenido. Pero sigue, no pares.

Hay un oficio femenino en el desnudo: pocas cosas se le parecen. Arquitecturas que se adivinan entre curvas sugeridas, pechos velados y muslos pétreos, de pronto surgen para cortar el aire. Así Adela, la del amor olvidadizo, la del cabello de cometa, vestida sólo consigo misma, limitada por un cuerpo que Gardea podía mezclar con sus iguales y sus contrarios. En ello se entretuvo mientras el otro diván recibía las prendas de la paloma: Adela templo, Adela congal, Adela misterio, Adela marina, Adela viento, Adela yegua, Adela caracol, Adela pájaro, Adela nube, Adela lagartija, Adela llanto, Adela hielo, Adela desesperanza, Adela semen, Adela puta, Adela santa, Adela montaña, Adela gárgola, Adela mentira, Adela distancia, Adela lombriz, Adela mariposa, Adela tijera, Adela caliente, Adela amarilla, Adela terciopelo, Adela tiniebla, Adela luz.

El cuerpo de ella volvió a ser el del primer día. Gardea se incorporó y la tomó en sus brazos. Con suavidad recorrió su espalda constelada de manchas minúsculas, una vía láctea de lunares, mapa de otros astros más próximos a sus deseos que aquella bóveda especular, siempre arriba y siempre lejos. Sus manos pulsaban un cielo en tierra, las leves, necesarias imperfecciones de una piel que se expandía con las caricias. Alguna vez Gardea renegó del goce: triciclo negro, llegó a decir, incapaz de conseguir lo que se quiere. Desde Adela había olvidado sus definiciones abusivas. No era indispensable pensarla: tocarla suponía más que eso. Los jadeos de la paloma obraron el misterio. Su miembro se alzó. El pubis de Adela sintió el bulto detrás de la tela del pantalón del hombre y un jugo tímido mojó el triángulo blanco que guardaba aún la puerta del tabernáculo. «Tárdate, Gardea, tárdate. Vamos a coger todo el día». Su petición fue un jadeo ronco —Adela puta— que excitó más a Gardea.

Hacer de la calma un instrumento de los sentidos, creer que lo que ocurre debe durar hoy, mañana, los días que sigan a mañana. Eternidad de quienes gozan —aunque ellos queden cegados por un espejismo y el tiempo haga la ronda sobre su deseo sin sitio. Adela se separó del abrazo: tardarse es posponer. Su cuerpo estaba listo para el encuentro pero quería vestíbulos que dilataran su posesión final. «Ven, Gardea, ven», dijo en voz baja, «te voy a desvestir con la boca». Se hincó ante Gardea para liberar su miembro. De un jalón arrancó los botones de la bragueta, abrió el pantalón como si desenvolviera un regalo y pegó su boca abierta —Adela caliente— sobre la protuberancia enmascarada por el calzón. Sus manos entraron a la cara interior de los muslos. Mordió la verga y arañó las ingles —Adela dolor—, mientras Gardea hundía sus manos congestionadas entre la cabellera que colgaba debajo de su vientre. Sin despegarse, aumentando el trabajo de su boca lactante, Adela buscó con dedos voraces el ano de Gardea y lo penetró de pronto, con un golpe seco, vertical. La sorpresa, más que el sufrimiento, hizo reaccionar a Gardea. Intentó desprenderla de sí, pero la boca de ella —Adela hielo—redobló su dureza.

¿Quién asocia el gozo a las fuentes dulces y contenidas, a las caricias hilvanadas como rosario de manos sonámbulas, bienintencionadas, del que saldrán formas dadas por la cautela y la suavidad? Ni Adela ni Gardea. No hay planos anticipatorios, no hay cartas seguras para viajar en un cuerpo: todo encuentro es una coreografía que se suma a órdenes recién imaginados. Por eso se aman las parejas, para que sus juegos se anoten en esa lotería de los ayuntamientos y las posturas, de los abismos, del espanto disfrazado de risa.

Gardea aceptó que la paloma oficiaba sus deleites como un párroco enamorado de los milagros malos. Dejó entonces sitio al dolor. No lo negó, quiso sentirlo. Llevaba vida propia, podía alejarlo si antes aceptaba su presencia irremediable: las cosas mismas.

—Canta, machito. Canta para tu reina —la voz de Adela tenía una nueva pureza, y los espejos del recinto multiplicaban la petición de una boca pegajosa, anhelante, que soltaba la presa para recordarle que volvería a ella. Pero Gardea quiso beber de ella. Levantó a Adela hasta sentir que su dedo lo rasgaba para salir de él, la atrajo en medio de un espasmo que no era más que el reflejo de haber sido poseído —Adela lagartija— y la besó como si buscara perderse en su interior. Los alientos se mezclaron, Adela fue Gardea y Gardea la paloma. La memoria somática de los dos quedó fundida mientras los labios imitaban la eterna canción muda de los peces. «Lindo pescadito, ¿no puedes salir a jugar con mi aro? Vamos al jardín». Gardea convocó las coplas infantiles. «No, linda niñita, no puedo salir porque si te cojo me puedo morir». Adela no resumió ningún recuerdo, a veces el olvido se apiada de aquellos que se entregan para escapar de sí. «Mi mamá me ha dicho: no cojas aquí, porque si lo haces te puedes venir». Las manos de Gardea conocieron todo el territorio que se le entregaba, tocó los pechos generosos y giró los dedos sobre dos pezones de colegiala —Adela terciopelo—, casi metálicos por su dureza contenida. «Lindo pescadito, vamos al jardín, siempre que uno coge se debe morir». Adela abrió los ojos para ver cómo su silueta se reflejaba en los espejos. Gardea había llegado al hueco, su dedo índice era un ariete que derrumbaba la puerta del santuario. «No, linda niñita, muere tú por mí. Móntate en tu aro, yo debo vivir». Adela jadeó como probando el aire por primera vez. Su cuerpo se arqueó y sus manos —Adela tijera— marcaron a Gardea con huellas. Gritó, gritó para desahogar, para barrer su placer contenido. «En el agua clara que brota en la fuente, una paloma se viene de repente».

Adela cayó desplomada sobre el diván. Las manos de Gardea permanecían juntas, como si rezara desde su bajo vientre. Del otro cuarto salía el chiflido del vapor. Gardea tomó un par de toallas y fue hacia la estufa. Cubrió con ellas el banco de azulejos blancos, abrió la llave hasta que el chiflido cambió sus notas tenues y llamó a Adela para que entrara.

Un intermedio, eso seguía. Gardea debía poner un papel secante sobre su placer, recordar que estaba a medias, inconcluso, mientras el vapor abría minúsculas burbujas de agua en su cuerpo y el sudor lavaba un gozo aún sin terminar. Una sonrisa remató la satisfacción del varón: había durado. Para él y para ella, plural de apenas unos días, donde sólo hay lo que hay. Adán y Eva se bañan en los Baños Emperador, el sol sigue en el cielo, los cuerpos son planetas que se intoxican con la luz.

X

Cuando la pareja entró a las estufas de los Baños Emperador el hombre dejó el sillón, aventó el periódico sobre el asiento, dirigió un breve guiño a la cajera y salió del establecimiento. La suerte se mostraba propicia, no había duda. Día tras día merodeando en la zona donde la mujer escapó de manos del jefe, preguntando aquí y allá, matando las horas con crucigramas incompletos y diarios mentirosos, seduciendo dependientas monosilábicas, memorizando vecinos y hábitos del barrio, y de pronto un mantón que resbala indica el blanco, la pista y la presa. Tenía razón el Halcón: no se podía perder una hembra como aquélla. Muchas había tenido el jefe, pero ninguna igual, sólo su cabello le salvaba a uno. Y lo demás. Pero el hombre ya no quiso imaginarlo. Se lo decía al Halcón: ¿para qué desear lo que nunca será de acá? ¿Quién sabe? —contestaba el otro con su cara de bruja golosa—, a lo mejor y un día nos convida el jefe. Sí, anda que sí, cuando se la haya acabado. Alguna vez, Halcón, nada más que se la beba toda.

—Señor —la voz temblaba ligeramente—. Señor, acabo de ver a la señorita. No, con un hombre. Entró a unos baños de vapor. Sí, muy cerca de donde desapareció aquella noche. Un par de cuadras. ¿El acompañante? No, señor. Oficinista, más bien, eso parece. Descuide, no me vieron. Sí. Para servirle, señor.

Carlos Vasconcelos cortó la llamada con el mismo gesto sombrío con que la tomó. Sobre su escritorio descansaba un poliedro de mármol gris. Lo alzó para llevarlo hasta su frente, que se confortó con la frialdad del objeto.

¿Quién era ese hombre? ¿Cómo era? ¿Estaba hecho de infancia, como quieren los que ven infiernos primarios? ¿De trabajo, como preguntan los que creen que ser es hacer? ¿De historia, como dicen quienes ven líneas entre las cosas? Vasconcelos era enigmático. Es decir: guardaba. La misma armazón de su cuerpo transmitía esa sensación. Pero no guardaba poco, no. Su campo —esa porción que le había tocado de criaturas y paisaje, de nombres que rodean la cuna o los columpios, de efemérides que trepan como hiedra verde: estrellas vegetales, mantos de vírgenes parlanchinas— era dilatado. Cazaba en varias partes este hombre que alzó un poliedro de mármol gris para vaciar un poco su cabeza dolorida. Por tal motivo guardaba mucho, nadie da lo que no tiene. Por tal motivo, Vasconcelos daba mucho. Aunque lo que daba no siempre era apetecido por quien lo recibía. «Conflicto de voluntades», decía entonces Vasconcelos, e invariablemente imponía la suya. Círculos de hierro, perseverancias a contratodo, porfías en marea baja, porfías ante el mar alzado. Una intención camina por las mañanas de cualquier día y sólo quiere reproducirse. Todo lo que hay en ella —trayectoria, impulso, inercia, convencimiento— se resuelve de un modo parasitario, necesita agentes, vínculos que enlacen la vocación de su destino. Desear no basta si el deseo se conserva imaginario. Vasconcelos deseaba para obtener lo deseado, y ponía en marcha todos los recursos de una mirada absoluta.

Vino tiempo, llegó tiempo, y Vasconcelos purificó esa costumbre señorial y solitaria. Hay un dueño, dijo una vez, y ese dueño soy yo. Dueño de las zonas que el ser deja sin cuidado, de las franjas donde el vacío se aposenta porque nada —desaplicación, inadvertencia, debilidad— tiene la gente para evitar esos silencios, aquellos fragmentos de realidad inconstante.

«Cuando tiene sed de hombres baja a ver por la vereda. Pasan hombres, pasan hombres, pero no pasa aquel que él desea». No podía ser cualquiera. El negocio de los amos consiste en un arte de oportunidades. Los empeños inmóviles, los intentos fallidos enseñaron a Vasconcelos que la voluntad debía aplicarse como el color o la armonía: cuando los trazos de la composición están establecidos, cuando las notas requieren el tráfico de la alternancia. Las cosas se hacen cuando se hacen. El cazador evoluciona mientras la presa se mueve, descansa mientras la presa duerme, trabaja a favor del viento. El cazador se transfigura en la presa que persigue: sólo así la derrota, sólo así corta el hilo de su vida.

¿Qué hacer, entonces, con la fémina perdida? Una pasión insomne llegó a la mente de Vasconcelos. Era una violación del código de honor que reglamentaba a este aristócrata de la depredación ajena. «El amo no ama a los que usa». Pero con Adela resultaba inaplicable. Porque la noche, porque su sonrisa, porque se entregó sin ninguna sombra, porque estuvo tarde pero todavía oportuna. Llegó tiempo, pasó tiempo, y Vasconcelos supo que el cazador estaba cazado.

Una tarde más volvió al gineceo de La Goyesca. Los hábitos de correría estaban en su sitio: la corbata era discreta y por eso elegante, el traje de fieltro gris caía como túnica imperiosa, ensanchaba hombros y reducía un talle que la edad se ocupaba en borrar, la camisa era tan blanca como la tensión de su almidonado, las gotas agrandaban pupilas, ojos que a pesar del autocontrol cortaban el aliento de quien contradecía la línea recta de su voluntad. La Goyesca lo vio llegar decidido, aunque nunca lo había visto llegar de otro modo. Pero el matiz sutilísimo —esa telaraña delgada, casi incorpórea que hace característico lo que siempre es igual— de la postura de Vasconcelos indicaba que el lobo venía a cobrar.

La maestra recordó sus deudas con el hombre. Se habían multiplicado a lo largo de los años y ahora alcanzaban cifras tan disparejas para su modesto magisterio flamenco como las notas que el guitarrista pulsaba mientras venía la orden de iniciar la clase. Vasconcelos nunca había reclamado las cantidades que La Goyesca le solicitaba de tanto en tanto para sortear la pobreza. «Ya haremos cuentas, señora», y así pasaban los meses. Sólo pedía entrar a la academia de danza cuando su apetito lo quisiera, quedarse de pie y beber los remolinos que la mujer convocaba con palmas endurecidas.

—Vamos, señoritas. Venga ya —dijo ella, parada en el centro de la sala, y sus aplausos construyeron un ritmo monocorde que atrajo a su alrededor a seis bailarinas. Una era Adela, vestida como las otras, pero diferente, sinuosa enredadera.

¿Qué es el deseo si no un juego sin reglas ni desenlaces anticipados? ¿Qué es el deseo si no el espejismo de un horizonte incompleto, volteado sobre sí, cerrado en el puño doliente de lo que exige y ata? El mundo está donde uno está: Vasconcelos lo sabía. Esa tarde que el hombre atestiguaba los graciosos senderos de seis mujeres, el mundo estaba reunido. Todo cabía sobre la duela lastimada y los espejos marchitos: la voluntad y la representación, el pensamiento y la obra, las cosas como son y como se cree que son. Y desde luego, el deseo, ese dios rencoroso que cegaba a Vasconcelos con una mujer completa mientras danzaba. Así la veía el hombre inmóvil: desfalleciente como si un céfiro soplara a su oído secretos inmundos, cuerpo de trigo acariciado por el viento.

Cuando la clase terminó, Vasconcelos fue hacia Adela. Con un gesto imperceptible obligó a la maestra a presentarlo.

—Adela —dijo—, quiero presentarte a don Carlos Vasconcelos, un querido amigo de esta casa. Quiere conocerte porque... —y hubo una pausa que Vasconcelos se negó a resolver.

—Encantado, señorita. ¿O puedo llamarla Adela?

—Mucho gusto, señor. Llámeme como quiera.

—Carlos, por favor. Y usted, Adela.

—Pero quíteme el usted.

—Bueno, quitémoslo los dos.

—Muy bien, Carlos. Quieres conocerme porque...

La mirada de Vasconcelos se retiró a un ámbito donde la verdad es una confesión inútil. Varias respuestas ofrecieron sus dedos de rastrillo: porque verte bailar resuelve el mundo, porque a tu sonrisa le falta un cierto número de tristezas, porque estar en ti es salir de mí, porque tus palmas levantan círculos de colores, porque a veces cazar es un vicio. Vasconcelos prefirió las voces del dominio. Tomó la mano de Adela, se inclinó para recoger su aliento todavía sobresaltado por el baile, y dijo:

—Porque sí, Adela. Yo hago las cosas porque sí.

XI

Esa noche Ruano manipuló las cajas de la señora Berriozábal. Eran objetos pequeños, delicados, breviarios que en su interior guardaban historias únicas, reducidas en los límites de una escala infantil. «Parecen casas de muñecas, pero son todo menos eso». La misma frase fue dicha cada vez que la mujer le entregó los objetos, tres hasta ahora. «Cuando sean cinco todo quedará resuelto. Tenga confianza en mí». Uno de ellos dejaba ver, a través del cristal que lo guardaba, una escalera sin peldaños intermedios: sólo el primero y el último de los travesaños unían las vigas paralelas para indicar su sentido. Alrededor de la escalera, grabados delicadamente sobre la superficie donde se apoyaba, aparecían sombras de figuras que Ruano nunca había podido desentrañar. Cambiaban conforme la luz tocaba sus líneas tenues y a veces Ruano creía encontrar en ellas imágenes conocidas, convocatorias de recuerdos que eran muy poco porque el tiempo quebró su precisión.

—Véalos sin descanso, licenciado, pero no espere nada mientras lo hace. Se mostrarán cuando usted pueda soportarlo, pero usted nunca sabrá que puede hacerlo hasta que ocurra —decía Carmen Berriozábal.

—Lo haré, señora. Lo haré según dice —comprometía Ruano, creyendo que las respuestas que buscaba lo rodearían como un rebaño apacible.

—No, licenciado, se equivoca porque simplifica. Los magos no cambiamos el mundo, porque el mundo es inalterable. Sólo cambiamos nuestra mirada sobre el mundo. Y entonces cambia. Aunque de eso no se debe hablar sin cuidado. Algunos lo hicieron y ya ve usted —decía Carmen, mientras agitaba sus brazos sibilinos.

¿Serían los peldaños faltantes recuerdos necesarios para subir la escalera? ¿Y llegando a ella, qué? ¿Una vida se muestra en orden sucesivo, acomodado? ¿Están entonces las fechas púdicas, las ocasiones que la memoria dejó de lado para seguir acumulando momentos, los cuales resultarían otra vez precario olvido? «Uno vive dormido, licenciado. Mis objetos son para despertar».

El timbre del teléfono sobresaltó a Ruano. Dejó sobre la mesa la caja que observaba, junto a las otras dos, y salió de la estancia hacia el recibidor para contestar la llamada. Mala hora, pensó, mientras iba hacia el aparato con pasos de viejo de madrugada.

—¿Bueno? Sí, él habla. ¿Quién? ¡Ah! —la voz de Ruano se alteró por la sorpresa—. Sí, lo escucho —dijo con una mueca—. El comunicado era necesario, Vasconcelos. No, no lo creo humillante, pudo ser peor —la mano que sostenía el auricular se endureció por la fuerza de la cólera—. Esa deuda tiene años y usted lo sabe. No, olvídelo, Vasconcelos, la empresa no se rendirá ante sus maniobras. No lo sé, mañana o dentro de un año, pero usted va a liquidarla, de eso tenga la seguridad.

Ruano volvió del teléfono con los mismos pasos fatigados con los que había ido a él. La ira hundía los surcos de su rostro y adelgazaba su piel. Guardó las cajas maquinalmente. Nadie entraba nunca a su estancia aterciopelada y femenina. Una sirvienta de vez en cuando, pero que no vendría sino hasta dentro de un par de días. Daba lo mismo, «los objetos de poder se guardan de todos, licenciado, aun de usted. Tóquelos poco, sáquelos menos. Pueden quemar».

Sí, daba lo mismo, aunque no los guardara estarían guardados. Nada se puede perder cuando nadie acude a visitar a un hombre envejecido que respira con dificultad el espeso aire de la cólera. Quizá ese era el mejor modo para perderlo todo: dejar las cosas para uno, poseerlas en la intimidad solitaria, desgastar los objetos en la contemplación refleja, entre el mismo par de ojos y el mismo par de manos, visores de un universo de dos imágenes: Ruano observa, el objeto es observado por Ruano. Y así, porque la repetición es una indiferencia en movimiento, que dura por meses y por años mientras Ruano clava las uñas en tales estancias donde nada más corre su propio resuello.

Dormir fue una duermevela. Era sueño de viejo, lejano a aquella pérdida temporal que durante siempre es dormir hasta un día en que el cuerpo teme olvidar sus briznas de conciencia y no regresar de ese confín. Así se deja de dormir. Se ensueña, se cabecea, se extraña sin remedio el abandono, pero no se duerme: un insomnio frío ocupa lo que apenas ayer eran aventuras y encuentros triviales. Se sueña en vela. ¿Pero quién puede soñar como si los días fuesen noches y las noches morralla de lo peor de la vigilia? Ruano quería rescatar el sueño. Rescatarlo y también llegar al magisterio de otras cosas: dones, perspicacias, poderes, facultades. Aunque todo eso sería nuevo, adquisición si llegaba. El sueño era pertenencia y heredad perdidas, un umbral que ahora deshacía sus tratos.

Librium: sueño hipnótico, sin ninguna huella. Era mejor que la penitencia de ojos abiertos o que la magia tardía de la anciana enferma. Ruano cumplió con su temor y de su sueño no hubo registro alguno porque prefirió envolverse en un consuelo químico. ¿Adónde irán —se preguntó antes de que un mazo cayera sobre su nuca— los sueños soñados con barbitúricos?

El teléfono volvió a repiquetear con insistencia, pero Ruano había dejado de oírse a sí mismo. Dormía, y a su alrededor la nada olvidaba darle sueños.

Porque los tuvo, extremos, suficientes, tantos como para llenar volúmenes ociosos con letra menuda, a renglón cerrado: signos detrás de signos donde la vida de Ruano tenía un reverso, un doblez, otras correspondencias. Los sueños del desierto, por mencionar uno de esos ciclos. Los sueños purificados de la arena amarilla que esclaviza el sol, los sueños solitarios del hotel en el desierto, el hotel de Pilzer, el hotelero loco. Ruano llegó a esa posada igual que a tantas cosas: por accidente, notándolo a medias, con una voluntad tan inactiva como la casona amarillenta que en lo alto de una duna avisaba a quien quisiera enterarse que su nombre era Gran Hotel, aunque todos se refirieran a él como el hotel de Pilzer, «y está loco», acotaban sin falta.

Ruano vendía semillas y aperos de labranza. Su radio de acción llegaba a todo el Altiplano y en algunos puntos alcanzaba la costa. Las ventas no eran buenas, tampoco regulares. Sus semillas desinfectadas, sus arados y cultivadoras se topaban con la pobreza campesina, con la desconfianza de tierras yermas y de generaciones dedicadas a repetir, talmúdica, secularmente, los ciclos y las maneras de siembra que recordaba la tradición. «¿Y por qué siembran ustedes así?», indagaba el vendedor que no vendía. «Porque así estamos impuestos desde siempre», respondía el labriego que no compraba.

Alguien le habló de Pilzer una tarde. Es rico, le dijo, tiene tierras ociosas, podría sembrarlas y comprarle a usted todo lo que no ha vendido. Ruano sonrió incrédulo: ¿un golpe de suerte donde la suerte ni está ni se multiplica? Lo olvidó tan pronto como se le dijo, aunque el final de la sugerencia vibró en el aire: «pero está loco», advirtió quien ofrecía la venta afortunada. Loco: la denominación no le era ajena. Loco, como su padre, que desnudó sus miserias y sus pendientes ante los ojos burlones del pueblo natal; loco, como su madre, la mujer del loco hasta un día donde la tragedia empuñó su corazón y apretó un guante de hierro para llevársela callada a donde van las mujeres de los que reciben ese silbo torturado: loco.

La explicación siempre faltaba. ¿Por qué loco? inquiría Ruano, y un gesto vago, una mueca obvia o un hombro encogido dictaminaban que sí, que por todo eso —gesto, mueca, hombro— Pilzer estaba loco.

Una noche Ruano llegó con su catálogo de ventas a las goteras de San Julián Insepulto. El pueblo lucía atrincherado en su olvido. La plaza no mostraba ni luces ni puertas abiertas y un viento pertinaz, seco y correoso, golpeaba los laureles que a esas horas eran negros, como los pájaros negros que en ellos se domiciliaban. «Ahorita, sólo con Pilzer», le informó una sombra cuando Ruano preguntó por cualquier hospedaje.

—Pero usted sabrá, señor. Hoy hay viento y viene de las dunas.

—¿Y qué hace ese viento, además de cerrar el pueblo? —quiso saber Ruano.

—Muchas cosas, señor. ¿Qué no había andado antes por aquí? —repuso el lugareño.

—Sí, pero nunca con este clima —dijo Ruano.

—Pues ya estaba de Dios, señor. Que él lo acompañe —concluyó el otro, y señaló un letrero de hojalata zarandeado por los golpes rítmicos del temporal—. Siga las flechas del camino.

Conforme el vehículo avanzaba por un sinuoso sendero de terracería la arena iba ganando espacio. Los faros mostraban a Ruano dunas que crecían cada vez más, mansos lomos de animales sepultados, crestas a las que el aire domaba con un peine gigantesco e invisible. Arena: un osario triturado del Gran Hotel. Eso anunció el letrero mortecino de un edificio de tres plantas que se alzaba al doblar una curva ciega. Un foco iluminaba el portón cerrado debajo de la leyenda. Ruano bajó del automóvil, avanzó unos pasos contra el viento, que en esa elevación parecía concentrar su fuerza, y tocó con las ansias de la intemperie y también del desasosiego. Ya estaba en el desierto: nada con él, nadie junto a él, sólo un espacio envuelto por remolinos cuya materia se escapaba entre los dedos y ofendía los ojos con minúsculos dardos.

Cuando decidió volver al automóvil, atrincherarse ahí y esperar la luz protectora del día, un ventanuco se abrió desde el portón. Quien lo hizo guardaba silencio. Fue Ruano quien habló.

—Buenas noches —dijo—. Necesito una habitación para esta noche. Estoy de paso por el pueblo y alguien me dijo que aquí podría quedarme.

—Sí, podría —repuso una voz—. ¿Viene usted solo?

—Sí —contestó Ruano, que no podía adivinar el género del que estaba detrás de la puerta. El viento circulaba ecos y esparcía resonancias indescifrables.

—¿Cómo se llama, a qué se dedica?—preguntó la voz.

—José Ruano, servidor. Soy representante de Semillas y Aperos del Bajío, una firma agrícola, como se puede ver —contestó, al tiempo que buscaba en los bolsillos su tarjeta de presentación.

—Vamos a ver lo que se puede ver —sentenció la voz, mientras abría la puerta para franquearle la entrada—. Pase usted, señor José Ruano —dijo la voz, que se convirtió en un hombre alto, ya mayor, que exploraba con detenimiento la tarjeta que el otro le tendiera.

—Soy Mateo Pilzer, el dueño de este lugar —y extendió una manaza que apretó la de Ruano con rigor solemne—. Hoy es noche ácida, nos disculpará usted si la luz es precaria, nos disculpará también si no hay servicio. Sólo puedo ofrecerle una copa de lo que estoy bebiendo —dijo Pilzer, que giró uno de sus largos brazos hacia una mesa al fondo de la estancia ensombrecida, invitando a Ruano a ir con él.

—¿Qué se dice en San Julián? —preguntó Pilzer cuando los dos estuvieron sentados, trasegando licor espeso.

—¿Qué se dice de qué? —repuso Ruano, incómodo de pronto, como si el viento de afuera echara su aliento en medio de sus ojos.

—Le dijeron: Pilzer está loco. Le dijeron: ¿va con Pilzer, el hotelero loco? Le dijeron: ahorita sólo con Pilzer, pero está loco. ¿O no se lo han dicho todavía, señor Ruano? —preguntó Pilzer, atento a la tensión de su huésped—. ¿Qué le dijeron de la noche?

—Usted fue quien me dijo que la noche era ácida —contestó Ruano, alterado por las ráfagas que danzaban alrededor del Gran Hotel.

—¿Cómo le llamaría usted a una noche así? —quiso saber Pilzer—. Dije ácida —continuó—, porque en ocasiones la materia decide organizarse con modos que no son los habituales. O desorganizarse, si lo prefiere, ese es el término exacto. Hace años, en este mismo lugar, hubo una pequeña comunidad que practicó el desarreglo sistemático. Cambió todo el sitio, hizo prosperar los arenales, que en su origen no iban más allá de dos o tres grandes hormigueros. Y hay noches en que el lugar lo recuerda. Ésta es una de ellas: ácida, aunque en San Julián crean cualquier patraña. Pero dígame, ¿qué le dijeron?

XII

«No, nunca fue para mí». La frase cerró una abertura por la cual Jacobo había vaciado las piedras de su rechazo. Ni esa noche, tampoco las anteriores, Esmeralda abandonó su reinado para entregárselo. Lo hizo con Valdés, seductor secundario, según la teoría de Gardea. Los más eficaces, aseguraba él.

—Valdés es un cazador silencioso, hermano. Ríe a tiempo pero se calla siempre. Recoge los panes que otros tiran porque creen que en todo momento habrá más. Él sabe que no, que de las sobras de unos se hacen los festines de los atentos. Sólo puede usar voluntades ajenas, ir detrás de ellas y aprovechar su impulso. Aquella noche cortejaste a Esmeralda para él. La dama entró a tu atmósfera, sí, pero ahí estaba Valdés, dueño de la dama, de la atmósfera y también de ti. Se la cogió, hermano, no hay duda. Y puede que lo haya hecho a tu salud. A ver si a la próxima aprendes.

¿Aprender qué? ¿Que para algunos sortear el mundo resultaba orgánicamente imposible? ¿Que los silencios o las sonrisas eran de una densidad cuya clave se ignoraba?

—Fue imposible —dijo Jacobo, después de una pausa que no impacientó a sus oyentes—. Nunca supe dónde, cómo aprender. Lo digo: nunca supe qué aprender.

El hombre calvo meneó la cabeza con incredulidad. El cincuentón de corbata floreada se volvió hacia Vasconcelos. Afloraban muecas juguetonas alrededor del círculo. Un suspiro revoloteó entre los hombres callados. Era de quien tenía en las manos una caja de lámina.

—Quiero felicitarlo, Barrabás —dijo al incorporarse—. Ha encontrado usted la primera regla: saber que no se sabe qué saber —Vasconcelos alzó una mano y reclamó silencio—. Es cierto, aunque se lo dijeron muy temprano. Ya aprendió algo, Barrabás. A ver qué hace con eso. Le servirá para lo que usted quiera, que también puede ser para nada.

Jacobo se derrumbó sobre la silla. Lo dominaba una sensación extraña. Su pérdida podía adquirir un sentido preciso, aún sin revelarse pero casi al alcance de la mano si se moviera hacia el punto donde las líneas de su destino se juntaban en un haz —«conjunto de rayos luminosos de un mismo origen», según la definición leída alguna vez para saldar dudas oficinescas que de tarde en tarde surgían en aquel lugar del que había sido arrojado—. «Si recuerdo tales cosas, ¿por qué he olvidado lo esencial?»

Vasconcelos contestó la pregunta que Cartola se formuló mentalmente:

—Me parece, Barrabás, que usted deforma lo esencial. ¿Cómo sabe que su olvido alcanza lo más importante? ¿No será, precisamente, al revés? ¿No será aquello que ha olvidado lo prescindible, lo no esencial de usted?

Jacobo iba a preguntar cómo Vasconcelos respondía preguntas que no escuchaba, cuando el círculo se descompuso. Varios hombres se levantaron al mismo tiempo en un impulso que parecía obedecer a una señal concertada aunque no manifiesta, cuando menos no para Cartola, que seguía atento a la nueva naturaleza atisbada en un relámpago sin ruido y tan eficaz. La voz de Vasconcelos volvió a imponerse sobre la grey a punto de la desbandada: podría haber sido él quien hiciera el gesto final.

—Serán convocados pronto —dijo, con la voz forzada de un rezo—. Mientras tanto, vayan a vivir.

La estancia se vació casi de inmediato. Los hombres salieron apresurados por la puerta del fondo, la misma por la cual entró Vasconcelos. Sólo quedaron éste, el cincuentón de corbata, el calvo del overol y Jacobo. De pronto estuvo junto a ellos el Hacón.

—Lleven al señor al lugar donde lo recogieron —ordenó Vasconcelos, ayudando a Cartola a incorporarse de la silla.

—Pero quizá no quiera regresar. Habrá que preguntárselo —dijo el cincuentón, solícito.

—Dijo que no tiene adónde ir, que es igual que no tener adónde regresar —comentó el calvo del overol.

—¿Y usted qué opina, Barrabás? ¿Debemos regresarlo a algún lugar o no? —preguntó Vasconcelos con indiferencia—. Usted dispone.

El diálogo sonaba ajeno a Jacobo. Lejos de sí, acomodado en nada, el ciclo de sus decisiones estaba reducido a la perplejidad. Quien resolvió su dilema fue el Halcón.

—Déjelo, señor —le dijo a Vasconcelos—. Aquí lo instalamos.

Los tres hombres salieron juntos. Una inclinación de cabeza de Vasconcelos y dos guiños secundarios, tenues, dejaron a Cartola ante la mirada divertida de su captor.

—¿Ya ves, Barrabás? Te dije hace un rato que si no querías no vas —graznó el Halcón, y su carcajada retumbó en los techos del salón—. Venga, vámonos.

La noche es el lugar de la igualdad, por eso había que irse. Ya el amanecer sugería trazos en ese lugar cargado, las sombras buscaban rincones y cornisas, el espacio repetía su ritual diurno de mostración. Sin ruido, con el sueño pegado a los talones, Jacobo siguió al hombre.

Salieron por una puerta baja y rodearon la casa. Al fondo, entre una arboleda sosegada, se veía una construcción de techo de dos aguas cubierto por tejas ondulantes.

—Olas que se van, olas que se quedan —dijo el Halcón, al tiempo que abría una de las dos puertas del sitio—. Aquí te quedas, Barrabás. Buenos días —y la sorna del guardespaldas no conmovió a Jacobo. Entró a tientas, vio un lecho y sin pensarlo se tendió en él. Muy pronto corrió un hilo de saliva desde su boca hasta la almohada cubierta por una colcha áspera. Algunas madres aseguran que son los hijos buenos los que dejan que las palabras no pronunciadas escurran en pequeñas hebras líquidas al dormir.

XIII

La casa de la Rue Molière no era un avispero. Más fácil: no sonaba a nada. Las doce del día son zona de descarga. La mañana negocia su sustitución con lo que viene: ninguna cosa más que la oscuridad. Por eso los objetos y la gente callan, para que en el acuerdo no se cuele el error, esa línea inacabada que en las anchas vasijas del alfarero es inacabada a propósito: la imperfección lo acerca a Dios. Se equivoca, sin duda. El error siempre es humano, no tiene alas y no sube. El cielo sólo acepta ligereza, y quien lo quiera —protector o descubierto— debe saber subir: desprenderse de sí. Había silencio mientras Elías Molinero mostraba al General su espalda flagelada.

—¡Dios santísimo! —dijo el hombre, incorporándose de su sillón patrimonial. Trastabilló hasta las laceraciones de su yerno—. ¿Quién le ha hecho esto?

—Carmen, General, Carmen —volvió a decir Elías Molinero.

El viejo pudo recordar la carne viva que había rodeado su carrera militar: esas masas deshechas, abreviadas, donde el ángel de la muerte hurgaba para que el dolor fuera una hoguera repentina, donde sables y proyectiles mutilaban sin geometría, donde hoy podría ser un cabo adelantado, mañana grupos de tropa tan ingenuos como insoportable sería la quemadura que los esperaba, y siempre uno mismo aunque uno mismo no fuera. Ver caer al de junto, al más próximo, brida con brida, es caer también aunque sea un poco.

La paternidad no había sido agradable para el general Berriozábal. En su fantasía, para ser como los demás, había previsto otro destino: una estirpe, uno más como él, una mera reproducción. Pero su mujer era paridora de hembras. Tres le diera, tres trofeos vergonzantes. Aunque Carmen, todavía niña, hubiera disputado varias veces la cruz de su sexo, disputado como si en ella las faldas fueran un disfraz mal puesto, obligado. Aun así. Ninguna prolongaría ese patronímico de aires de fuego, ninguna entregaría al General la dignidad de llamarse como él. Estaba desentendido de ese himeneo, su vida apenas rozaba la de esas hembras asustadizas, todas menos una. Las vigilaba a distancia, con un ojo entrecerrado, y a menudo maldecía esa muerte anticipada de negarle su propia descendencia.

Las cosas parecieron cambiar cuando Elías Molinero se asomó a sus días. Llegó a creer que era el hijo varón nunca tenido y durante algún tiempo acarició la idea de refrendar sus derechos con la aceptación de ese hombre tácito, cortés. Berriozábal por Molinero. El nombre campesino, plebeyo, por el otro, el de quienes se hacían a sí mismos en los campos del poder y la traición. Pero Carmen fue tajante.

—No tendremos hijos, papá —comunicó con la voz perentoria donde el General reconocía sus propias impaciencias—. Y si acaso llega alguno, será mujer –Molinero no intervino entonces y nunca más se acercó al suegro sin Carmen. Esta era la primera vez, después de la boda y el exilio apresurado, que buscaba por su cuenta al padre de su mujer.

—¿Y por qué ha hecho Carmen una cosa así, Elías? ¿Qué es lo que ha pasado entre ustedes?

El silencio de las doce del día se movió de lugar. La negociación celeste repitió el acuerdo de siempre y la oscuridad adelantó un pie invisible para preparar su imperio. Elías Molinero abotonó su camisa y volteó hacia el General.

—No lo sé, General. No puedo decírselo porque no lo sé.

—¿Cómo, cuándo, dónde? ¿Tampoco sabe eso, Elías?

—Con las manos, desde la travesía, en las noches. ¿Le basta, General?

—No, Elías, no es suficiente. ¿Tiene navajas en los dedos, como gallo sanguinario? ¿Así goza o así lo castiga, Elías? ¿Y usted qué? ¿Acaso no es hombre, carajo? ¿Por qué no la puso en su sitio desde el comienzo? ¿Es que no puede con la hembra, eh? —La sorpresa del General derivó hacia la cólera. Su voz tronante llegó hasta las criadas de la casa mansa. La vidriería de los aparadores tintineó, la platería perdió un poco de su brillo y los canarios brincaron en las jaulas del corredor.

—¿Dónde está su mujer, Elías? Tráigala aquí —mandó el General, que recorría la estancia con pasos ansiosos.

—No lo sé, señor. Salió temprano por la mañana y no ha regresado. Por eso aproveché para hablar con usted —contestó Elías, tan dueño de sí como el General ya era otro, el de antes, el bárbaro de siempre.

—O usted es un santo o un imbécil. Y si es lo primero de todos modos es lo segundo, Elías. Dígame, ¿y qué va a hacer? ¿Acabará disfrutándolo, hasta que la niña lo haga pedazos? ¿O quiere dormir conmigo para que lo proteja de la pequeña bruja? —El desprecio no cabía en el cuerpo del militar, en su voz o en su mirada. Siempre había sido duro con los débiles, y la dureza lo obligaba a despreciar lo que no podía entender.

—Tengo miedo, General. Desde hace meses soy un hombre asustado. Por eso estoy aquí, por eso lo busco a usted.

Los brazos caídos, los ojos en un túnel velado. La humildad del desconcierto. Lo supo entonces, ni santo ni imbécil. Quizá débil, pero sobre todo un hombre al filo de sí mismo. Él conocía de las emociones simples, toda su vida lo rodearon. El caballo que cae sin saber por qué un estallido lejano suspende su paso por el mundo, el perro que lame la mano para suplicar por un dolor que le tritura las entrañas, el niño que espera que los suyos hablen aunque tengan rictus de piedra. Por un instante el General se apiadó de ese hombre lacerado y entonces se asustó de su propio sentimiento.

—¡No, Elías! —tronó—. ¡Pura chingada que usted sea la víctima! La víctima es ella, o yo, o cualquiera. Pero no usted.

—Tienes razón, papá —la voz de Carmen sorprendió a los dos hombres. Estaba de pie en el umbral de la puerta, sus manos enguantadas sostenían contra su vientre un pequeño misal y un rosario de cuentas marfiladas.

—¡Carmen! —dijo el General en una exlamación—. ¡Hija, por Dios! ¿Qué es esta inmundicia que me cuenta Elías?

—¿Qué te cuenta o qué te ha mostrado? —preguntó ella, con una media sonrisa dirigida a Elías.

—Mujeres, mujeres —clamó el General—. En esta casa nunca han sabido llamarle a las cosas por su nombre o contestar preguntas. Dime ¿qué le has hecho a tu marido? ¿Por qué has marcado así su espalda?

—En esta casa los nombres de las cosas los han dado las mujeres, General. Y tú has hecho preguntas, pero nunca a tiempo.

—Las hago cuando quiero y cuando las hago se me responden. Por última vez: ¿por qué has maltratado así a este hombre?

—Todavía lo amo.

—¿Y por eso lo destruyes?

—¿Por qué una no va a romper la carne que ama? Cuéntame de tus furcias. ¿Nunca golpeaste para acariciar de otra forma? ¿Nunca diste dolor a cuenta de otros deleites?

—¿Qué demonios quieres decir, insolente? ¿Quién habla por ti, que no te reconozco? Si ya olvidaste que debes respetarme haré que vuelvas a aprenderlo. ¡Carmen, ven acá! –la orden viajó por una casa que abrió sus rendijas para atestiguar cómo el poder cambiaba de manos. Pero Carmen no regresó al salón donde el General vociferaba y Elías mantenía su silencio.

—¡Diga algo, carajo, lo que sea! ¿Tanto miedo le ha metido?

—General —dijo Elías con voz de sonámbulo— soy un hombre asustado.

La casa de la Rue Molière volvió a su rutina de ruidos sueltos. Regresó la calma de la tarde que comenzaba. Pero había fisuras: un demonio lacónico se paseaba por el corredor manoseando los helechos. Sólo los gatos de la casa podrían haberlo visto y ninguno se cruzó con él. A esa hora suelen dormir.

XIV

Pilzer aguardó a que Ruano contestara: ¿qué le habían dicho de él? La mirada del hotelero era ansiosa, sus largos dedos se cerraban y se abrían alrededor del vaso. Conocía ya la respuesta, pero le interesaba el método que Ruano emplearía para satisfacer la indagación. Después de años ya sabía que la gente siempre dice lo mismo pero de modo distinto, sus modos son inagotables. ¿Quién no se enfangaba en el lugar común? «Doxa», esa palabra como mariposa de cartón.

Cuando Pilzer reía y estaba solo nadie podía protestar por su risa. Pero cuando alguien la escuchaba, otro ante este hombre corpulento, que tenía aliento, cierto aire de carnicero, no podía saber si la risa era para él o acerca de él, porque Pilzer observaba poniendo delante de sí una distancia fría, aun cuando su mirada ansiara presenciar el camino que el otro tomaría para alimentar esa pasión insensible.

La risa de Pilzer irritó a Ruano. No era burla: detrás de ella se escuchaba un estrépito de gritos apagados, como si en la jocosidad se congelaran quejas y dolores, nombres rotos.

—Usted ya sabe lo que me dijeron —contestó Ruano—. Y parece divertirle, señor Pilzer.

—Le ruego que no se moleste —dijo—. Mi risa nada tiene que ver con usted, ni siquiera conmigo. Hace años que me río sin saber del todo por qué. Si no le da importancia, mi risa será sólo un ruido más. ¿Escucha el viento? —preguntó de pronto el hotelero, que volvió a reír como si debiera celebrar el sitio que envolvía al Gran Hotel—. Pero dígame, señor —insistió—, ¿qué le dijeron de mí? O si prefiere, dígame cómo se lo dijeron.

—Es muy simple, señor Pilzer. Me dijeron que usted está loco. ¿Cómo? De muchas maneras: cuando me sugirieron venderle mis productos, cuando escuché a algún desocupado contar las historias extrañas de la región, cuando pregunté por un hospedaje para pasar esta noche. Siempre fue igual: Pilzer, dicen, está loco.

—¿Y lo estoy, señor Ruano? —preguntó el hotelero, llenando otra vez el vaso de su huésped—. ¿Usted cree estar hablando con un loco?

—¿Y lo está, señor Pilzer? Mejor dígamelo usted, ¿estoy hablando con un loco?

—Le voy a contar una historia—dijo Pilzer, después de beber un largo trago—. Sume las incoherencias de lo que escuche, los errores de concordancia, los saltos lógicos, y después concluya. Ésta es la nostalgia, como escribe el poeta: habitar en la onda y no tener patria en el tiempo. Y éstos son los deseos: quedos diálogos de las horas cotidianas con la eternidad. Pero lo que sigue es mío. Ponga atención.

«Sabrá tal vez que estuve casado. ¿No? Pues tanto da. Me casé un día de mucho sol. Canícula, decían los lugareños, y a mí esa palabra me agradaba. Pensé tener un perro y ponerle así: Canícula. No negará que la raíz de la palabra contiene al género canino, pero cuando conté mi intención en el banquete de bodas los invitados rieron como si hubieran escuchado la mejor ocurrencia de su vida. Abandoné mi propósito, desde luego. Nunca he soportado las faltas de respeto. Soy un hombre de dignidad, señor Ruano, y esa tarde estuve a punto de abandonar el festejo. Me detuvo mi suegro, pero no mi mujer. Así como no entendió la burla de los invitados, tampoco entendió que dejaba el banquete como un gesto de repulsa ante la impertinencia que sufría. Guadalupe era una mujer inexpresiva, de huesos grandes y ojeras grises. Parecía un pájaro torpe, atolondrado. Una vez vi una lámina en un libro de zoología y encontré su correspondencia: el pájaro bobo. ¿Usted cree en las correspondencias, amigo? Yo vivo de ellas: si uno no sabe que las cosas son el disfraz de otras, que todo está envuelto de un modo ajeno a su condición, entonces no sabrá cómo comportarse correctamente en el mundo. Mi mujer no entendía nada de esto, ni siquiera quería aprenderlo. Me casé con ella por el dinero de su padre. Dinero maloliente, desde luego. Atesorado por generaciones de campesinos tacaños y semisalvajes. Me llamo Pilzer, no lo olvide. Los míos vinieron de muy lejos para domesticar a estos rancheros infelices, para enseñarles el sentido del mundo y el valor del adelanto. Pero Guadalupe Pilzer no podía salvarse, no. Muy poca cama me dio y fue mala. Amarla era como acariciar un cadáver. Nunca jadeó mientras la poseía, nunca suspiró, nunca se elevó su pulso, nunca se crisparon sus manos. Abandoné muy pronto mis obligaciones nocturnas. Soy un hombre de orgullo, señor Ruano. No voy a contarle cómo di satisfacción a mi naturaleza: por aquí y por allá, y nunca más con Guadalupe. De esa época vienen los hormigueros, entonces los descubrí. Mi suegro ya había muerto. Casó a su hija conmigo, me entregó su fortuna y comenzó a consumirse en silencio, sentado todo el día viendo hacia ningún lugar. Su tránsito fue discretísimo, eso tengo que decirlo. Desde aquella tarde en que intervino para hacerme regresar al banquete de bodas, nunca más alzó la voz ni opinó acerca de nada. A veces veía pasar a Guadalupe, a veces a mí, pero siempre en silencio, esperando la señal para dejarlo todo aunque, salvo a sí mismo, ya no tenía ninguna pertenencia. No debe creer que el hombre se impuso una ascesis final, que renunció a toda avidez por un impulso de pureza. No debe creer que eligió la santidad para salir del mundo. En él habitaba un demonio de campo, sórdido y rencoroso como el de cualquier pastor habituado al vicio. Este es el signo que nos rodea, señor: se llama envidia. Por aquí todos envidian a todos, todos murmuran de todos, todos odian a todos. Mi suegro era igual. Me entregó a su hija y sus bienes porque yo vine de lejos. Eso fue lo único que me dijo: todo será de ti, Pilze —igual que Guadalupe: Pilze, me decían—, pero nada de lo que te daré será para ninguno de esta tierra enferma. Murió por cansancio. Así muere esta gente, amigo. Regresan un día a su casa, dejan los arreos de labranza en su lugar, piden alguna bebida y se desploman sobre el lecho para esperar su final. Después de su muerte llegaron ellos. Eran cuatro, dos hombres y dos mujeres. Aún no existía esta construcción, ni siquiera pensaba en ella. Apenas acababan entonces los rosarios por el alma del viejo, monótonos como zumbidos de abejas hipócritas y maledicentes. ¿Nunca ha rezado en medio de las beatas de un pueblo infeliz? Nunca lo haga, no hay temple que lo tolere, todas caen en éxtasis, todas huelen a sexo rancio, todas son frígidas y todas se creen santas. ¡Hatajo de putas yermas! Por allí anduvieron sin descanso, atrabancadas y suficientes, cantando alabanzas al difunto pero en el fondo celebrando su condenación. Es curioso, por aquí creen que la boca del infierno está en un hormiguero y cuentan que Cristo fue al desierto para cegarlo. Supercherías de pueblo, amigo. Cristo se internó en el desierto porque el desierto es el gran purificador. Se lo he dicho al cura. Vamos: se lo he demostrado. Pero es inútil, ese hombre vestido de matrona cree que el único pecado es la imaginación. Melifluo, arbitrario, cabrón, el cura organizó ese ataque de velos negros y carnes martirizadas. Uno por uno hicieron públicos los pecados del viejo, los cantaron a voz en cuello. "Expiar la biografía", me dijo el cura cuando reclamé su falta de discreción. "Entre mujeres bendecidas no existe el secreto de mi ministerio, y todas ellas están cerca de las puertas del cielo", reponía mustio, cuando sus brujas apaleaban entre oraciones la reputación del padre de Guadalupe. Mi consuelo fueron los hormigueros que crecían en esta colina. Llegué a ellos cuando me dediqué a levantar el inventario de lo que me dejó el viejo. ¿Usted no es rico, verdad? Entonces nunca sabrá del placer que hay en la propiedad, en la pertenencia. Era muchísimo más de lo que yo calculé en mis noches más ambiciosas. El viejo era el dueño de media comarca, sobre todo alrededor de San Julián. Sus propiedades ceñían al pueblo como un cinturón, era un círculo levantado en secreto a lo largo de los años y su centro, entonces lo supe, estaba en los hormigueros...»

Pilzer interrumpió la historia abruptamente. Guardó silencio. Llenó los vasos vacíos y alzó el suyo ante Ruano. «Parece que ya estalló la noche», dijo, e hizo una mueca de disgusto. Después rompió a reír a carcajadas. El viento golpeaba los muros y las ventanas, lamía los cristales con alfiretazos. «Esa arena», añadió, «¿conoce usted la arena bruja, señor Ruano? Es la más sutil y menuda, la que se saca de las acequias cuando se limpian. Como ésta que llama a la puerta. ¿Le abrimos, amigo?»

Pilzer se incorporó sin esperar la respuesta de Ruano y caminó hacia el portón para abrirlo. Un golpe de viento barrió la estancia y se introdujo entre las mesas y las sillas. Hay imágenes que se presentan sin aviso, pueden no significar mucho, ser tan triviales y prescindibles como cualquier otra, pero se anclan en la conciencia: allí se quedan, aunque prefieran esconderse en los pliegues del recuerdo y que la arbitrariedad las haga surgir otra vez de pronto. Ruano conservaría la silueta de Pilzer convocando la lluvia de arena, iría con él a todas partes y sólo de repente, en lo inopinado, volvería a mostrar sus grados: un dintel, un hombre que lo traspasa, un remolino que lo envuelve.

Ruano esperó a que Pilzer regresara. Aunque la puerta del hotel seguía abierta y el viento bramaba en las inmediaciones, sus acometidas parecían disolverse en el interior del salón. Cuando el amanecer se alzó desde la línea donde los tejados de San Julián Insepulto clareaban, Ruano se paró de la mesa. Pilzer no había vuelto y recordó que no tenía asignada ninguna habitación. Subió las ruidosas escaleras hasta el pasillo del primer piso y caminó puerta tras puerta hasta abrir una. La numeración de los cuartos no llevaba un orden comprensible. Al 28 sucedía el 86 y después el 45. La puerta cuyo picaporte cedió no ostentaba más que un limpio número 9. Allí durmió Ruano su primer sueño del desierto amarillo. ¿Lo soñado? Arena bruja: desmenuzada de lo diario, pedacería de la mente, calderilla de la memoria. Y con ello, una receta. Un libro viejo o una voz sin rostro mostraron a Ruano durante el sueño cómo proceder contra las hormigas.

Cuando despertó, más allá del mediodía, recordaba el consejo: «Se unta de almíbar el interior de muchas cazuelas grandes y hondas; se colocan inmediatas a los hormigueros, y cada día se retiran de ellos cosa de una vara; el olor del almíbar atraerá las hormigas, seguirán las cazuelas y en poco tiempo se cogerán muchos miles de estos insectos, que se destruirán echándoles agua hirviente».

—No sirve para nada —dijo Pilzer, cuando Ruano volvió a verlo por la noche y se lo contó. Durante la tarde había vagado alrededor de las dunas que encajonaban el Gran Hotel. No vio a nadie más que a una sirvienta anciana y seca, y a un mozo joven que seguía con pesadumbre las instrucciones mudas de la vieja. «Por la noche, aquí mismo», contestó la mujer en un susurro cuando Ruano quiso saber dónde y cuándo podría ver de nuevo al patrón.

—Pero debemos entender de otra manera lo que usted escuchó en sueños, amigo —continuó Pilzer—. No es el primero que viene aquí y escucha recetas inútiles contra los hormigueros. Acertijos, acertijos. La vida de algunos está hecha de ellos. Parece que la suya también.

—¿Otros huéspedes han tenido mi sueño, señor Pilzer? —inquirió Ruano, incómodo por la naturalidad con que el hotelero volvía ordinario lo singular.

—Digamos que sí. Quizá no el mismo, pero sí —contestó, y la mueca del hombre se volvió sonrisa.

—En cristiano, señor Pilzer: otros, igual que yo, han venido aquí y han soñado lo que yo soñé, variantes aparte. ¿Es así?

—Usted es un hombre lógico, señor Ruano, pero la vida no, y mucho menos este lugar. Acepte esto, de cualquier modo: usted no soñó, lo preciso sería decir que usted fue soñado. Otros también lo fueron ya. Pero le confieso que los sujetos de este sueño que parece construirse en pedazos no me interesan, aunque usted se cuente entre ellos. Hace años que dejé en el camino ese empalagoso ritual que llamamos cortesía —y como para subrayar su desenfado, Pilzer abrió la boca y eructó. Una botella sin abrir estaba en la mesa donde hablaban—. Ron barato, señor Ruano —dijo Pilzer al ofrecerle un trago que el otro aceptó—. ¿Continúa interesado en lo que anoche interrumpimos? ¿Sí? Pues démosle curso, amigo, toda historia debe contarse hasta el final...

«Vagué por mis propiedades para empaparme de ellas. Sólo se ama lo que se conoce, ¿verdad? Estas tierras me esperaban, el viejo las había reunido para mí. Ya le dije que las cosas son signo de otras. Lo hizo porque debía hacerlo: deudas inmemoriales, designios celestes, destinos cumplidos, qué sé yo. "Usted que inventó la tristeza, tenga ahora la finura de inventar mi alegría". Es lo mismo. Durante años canté esa canción, sin saber que un viejo trabajaba en silencio para dármela. Pero también me dobló la pesadumbre. Para eso me entregó a Guadalupe, para que mi avidez no dejara de acompañarme, para que mi reino tuviera su vacío, para que mi fortuna cojeara. Y eso es la vida. Dejemos la retórica, señor Ruano. Llegaron cuatro personas, dos parejas: anoche se lo dije. Yo andaba por los hormigueros, allí terminaba casi todos los días mis recorridos por la heredad. Caía el sol con tardanza. ¿Se ha fijado en que a veces la tarde quisiera durar y no acabarse? Así entonces. Los hormigueros eran rodeados por un telón de nubes en jirones, pintadas aquí y allá de morado y rosa, aborregadas y altas. La única actividad ocurría en las ciudadelas de piedra. Las hormigas trabajaban sin descanso, febriles, colgadas al instante eterno de su existencia en la tierra. Puro, infinito presente. Entre ellas no existe el ayer porque su similitud con el hoy disuelve cualquier comparación, y quien no compara no recuerda, no viaja hacia atrás. Pero tampoco hay un mañana, porque todo será idéntico a como fue hoy. Ése es el estado de gracia, amigo, el que los hombres han buscado por caminos tan diversos. El presente eterno no conoce ni la ilusión ni el deseo. Puedo decírselo en una fórmula simple: el presente eterno no sabe, no quiere saber sufrir. ¿Conoce usted algo así? ¿Conoce usted el paraíso de la ausencia de complicación? En él no hay dolor porque éste es un mero accidente, no hay padecimientos ni voces que lo designen. Digamos que es el reino de la seriedad. ¿Por qué sufre la gente, oiga? La gente sufre porque no es seria. Y si hay ese lugar son los hormigueros. Hormigas, señor Ruano, hormigas. De una en una, de una en ninguna. Número, tanto como para que la variedad no exista, para que aquélla se parezca a ésta porque las dos, las de allá, todas son iguales, son iguales y son serias. No quiero debatir con usted un tópico ocioso. Lo he hecho por años conmigo y con otros. Sé que la variedad, la diferencia, se requiere para la vida. Por eso, déjeme decírselo, la vida es el capricho que es. No me interesan los órdenes precarios; algo, aunque no sea yo, tampoco mis iguales, debe regirse por un patrón inalterable. Me interesan esos ámbitos, amigo, que algunos dicen que sólo están en la eternidad. Relojería, si se quiere, haga el mohín que le plazca. No hay algo que la precisión deje de lograr, no hay nadie que exista sin ella. Por eso creo en la maquinaria racional que gobierna a esos insectos que ignoran incertidumbre. Observar los hormigueros era mi consuelo, y para entonces ya sabía lo que dije: en ellos estaba el centro de mis propiedades. No advertí cómo llegaron los dos hombres a un par de metros de mi contemplación. Las dos mujeres acompañantes se mantuvieron a cierta distancia, las vi de reojo, inmóviles y silenciosas. Me sorprendí. La zona de los hormigueros siempre fue solitaria. Los lugareños le temían y procuraban sacarle la vuelta al pasar por allí. Puedo jurarle que cuando los hombres se dirigieron a mí cesó por un instante la actividad de los insectos. Todo quedó paralizado: nubes, crepúsculo, viento. Como si el mundo se contrajera sobre sí mismo. El primero en hablar fue el mayor, un hombre de cara borrosa —todavía, aun ahora, no logro componer con nitidez sus rasgos—. Vestía ropas holgadas, en la mano empuñaba un bastón de madera sin labrar y su voz era resonante aunque tenía un acento extraño. Me preguntó si era yo el dueño de esas tierras, contesté que sí y sonrió. Después intervino el otro, un hombre más joven, más alto que el mayor y barbado. Es curioso: su rostro. ¡Estas brumas que son el mejor modo de la memoria! Porque, desde luego, los recuerdo, así no pueda darle más detalles, señor Ruano. ¿Acaba usted de comprarlas?, indagó, y con la mano señaló hacia los hormigueros. En dicho gesto regresó la actividad suspendida: las filas se pusieron otra vez en movimiento y los chasquidos de aquellas que vigilaban la tarea se reanudaron. Las nubes siguieron su viaje hacia el sur y el crepúsculo cayó como baño de plomo oscuro. Asentí, conté mi historia y la muerte del viejo, hablé de Guadalupe y de mi devoción por ese sitio, mientras los visitantes me escuchaban sin intervenir. Cuando acabé, habló el mayor. "Existe una hora —dijo— en que el hombre, si consigue descubrirla, puede ser feliz para el resto de su vida. Es un viejo proverbio que le convendría razonar". El joven puso entonces la mano sobre mi cabeza, bajé la vista como si fuera a ser ungido por la tibia extremidad que me obligaba suavemente a mirar la tierra, y comprendí: allá, querido amigo, es acá. Dígalo al revés, si prefiere. Dígalo sin descanso, noche y día, y de cualquier modo no lo entenderá. Arriba es abajo. Se lo doy como lo tuve, se lo digo como lo vi. Cuando alcé la cabeza los hombres ya no estaban, nunca sentí la mano dejar de tocarme. Nunca he vuelto a verlos de cerca, pues hay tardes en que he creído que caminan a la distancia y que voltean a verme. Alguno de ellos ha aparecido en ciertas visiones incompletas. Y están, sí, aunque nunca han regresado. ¿Qué le puedo decir de ese momento? ¿Fue la hora de mi felicidad y mi sosiego? ¿Esa era la sabiduría que me estaba reservada? A veces creo que sí, que mi vida fue vivida para llegar a aquel anochecer, y que después de eso todo lo demás no debe ser otra cosa que un lento desgranarse hacia el estado donde lo que recibí quede a salvo, aunque ya no sea a través de mí. De quién, tampoco lo sé. Cuando uno hace el recuento de lo que no sabe, de lo que no entiende, concluye que la vida es un lugar insoportable. Pero este es el centro, así me fue anunciado. Esa vez me quedé aquí más allá de la medianoche y conocí mi tarea. En este sitio debía levantar un santuario, ¿me entiende, señor Ruano? Da lo mismo, de cualquier modo. No se contaba ningún hotel en San Julián Insepulto. Decidí crear uno y proteger los hormigueros. Traje arena por toneladas, aunque los vecinos juren que apareció de pronto. Puede ser, puede ser. Una mañana el cura subió hasta aquí seguido de su cortejo de plañideras embrutecidas. Guadalupe venía entre ellas, muy cerca del cura, más cerca que cualquiera de las otras. En posición preferente, amigo: cruzaban miraditas, él parecía hablar para ella y ella bebía sus inmundos dicterios. Los cimientos del hotel apenas asomaban a la vista, los albañiles construían sus primeros muros. Yo llevaba semanas de no bajar al pueblo y no tenía noticias de mi mujer. ¿Ya dormía con el cura cuando subieron esa mañana? Pájaro bobo, pájaro bobo: sí, ya me era infiel. Y su cara había cambiado. Meretriz en la mirada, como si la cubriera. El cura agitó su verbo y trató de suspender mis obras. “Boca del infierno, refugio del maligno, astuto malhechor”. Algo así, amigo. Le santifiqué el rostro a fuetazos, las beatas aullaron como lobas enloquecidas y Guadalupe rezó en latín. “Pilze —me dijo— esta tierra que no es tuya te partirá el corazón”. Rosa mystica, y las beatas decían ora pro nobis. Turris Davidica, y las beatas decían: ora pro nobis. Los gritos y los lamentos dieron paso a esos viejos ensalmos. El cura se incorporó con la boca deshecha y esperó el final de la letanía con los brazos en alto. “Nunca más saldrás del laberinto que construyes, y esta mujer, ante nosotros, disuelve hoy el vínculo que la mezclaba a ti”. ¿Carcajadas, insultos, amenazas? No, los dejé ir sin hablar nada. Nunca volví a toparme con Guadalupe y el cura. Alguien me contó...»

XV

¿Qué es el orgasmo? ¿Un disolvente de la conciencia por todos los poros de su cárcel, que entonces recorre completa? Acaso. Pero mientras Adela yacía en el diván azul, Gardea tarareaba en la estufa otra definición. «La droga más cabrona —y la voz era conveniente a los hombres que cumplen sus deseos—, la droga más cabrona es el amor...», proveniente de los viajes urbanos de Gardea en vehículos suicidas, tumultuarios, musicales, que ofrecían hacer sentir el viento del ala de la locura. «Si Baudelaire viajara en pesero», pensó Gardea, y siguió preparando la banca de azulejos donde Adela y él retozarían sofocados, entre un vapor inmaterial. Gardea llamó a la paloma y el chiflido de la estufa subió de tono.

—Me voy a ahogar —dijo Adela cuando entró al pequeño lugar.

—Lo haremos juntos —contestó Gardea, viéndola emerger en pedazos, como si su cuerpo se reuniera trabajosamente—. Siéntate aquí, niña, para que vuelva a cantar.

Una sonrisa avergonzada iluminó a Adela. Siempre era así: su cuerpo buscaba la querencia de los sentidos voraces, la adicción del final. «Todos los niños están enfermos y esperan la lluvia de verano». Siempre era así: la lluvia de verano de esa niña era un cuerpo que actuaba por su cuenta, deforme si había que ayuntarse con otro que lo estuviera, sedoso si se requería de tal modo, húmedo y resbaladizo como allí, con Gardea. O metálico, descifrable desde la copa de cristal y el vaso que se alarga hasta ella, endiosada porque la seda envuelve la distancia que juega a la ilusión, como antes, con Vasconcelos.

—¿En qué piensas, niña?

—En nada, Gardea, sólo siento.

—¿Y qué sientes?

—¿Por qué todo lo preguntas, Gardea? Cállate.

—Quiero que hables. Dime qué sientes, o di lo que quieras.

—¿Qué quieres oír, papito?

—Cómo te pones, niña, cómo te vas poniendo.

—Mojada, papito. Mojada y caliente.

—¿Y te gusta ponerte así, putita?

—Así, muy puta.

—¿Muy puta, putita?

—Y cachonda y loca, papá.

—¿Eres una puta loca cachonda caliente mojada?

—Sí, putísima. Tu puta es putísima.

—¿Y qué hace mi puta, mamita?

—Tu puta quema. Te coge y te quema.

—¿Y cómo coge mi puta, putita?

—Así, despacio. Te lame despacio y se toca.

—¿Se toca rico porque chupa?

—Sí, y me lo voy a comer.

—¿Y qué se siente tocar a una hembra, mamita?

—Me lo voy a comer con ella.

—¿Con ella? ¿Te gusta ella?

—Sí, papito, sí.

—Ponle nombre, putita.

—¿Quién te gusta?

—Dime tú, ponle nombre tú.

—Ya, papito, ya.

—¿Ya? No, todavía no.

—Gardea, ya.

Todo termina antes o después. En la vida del ser no está la oportunidad sino escasamente: antes o después, antes de que un hilo se junte a otro y formen un racimo, o después de que en un punto aparezca otra puerta hacia lo real. Aunque Gardea pudo acabar al unísono. Pero no lo logró por ir más allá de lo necesario —ocurre, ocurre, ocurre.

Y abrieron la puerta de la estufa y salió el vapor.

XVI

Los amantes abandonaron los Baños Emperador como extraños. Lo hicieron juntos, igual habían entrado, pero detrás del coito siempre hay tristeza. No sólo por su término —existen a quienes gustan los finales y Gardea era practicante de los límites cumplidos: crepúsculos, domingos, fines de mes y quincenas—, sino porque la promesa de su regreso suena tan fortuita como inconstante.

—Nada, niña, nada —dijo Gardea a una Adela que miraba nerviosa a todo lo largo de la calle, mantón florido y lentes oscuros otra vez.

—¿Nada de qué, Gardea? —preguntó Adela, juntándose más al brazo que ceñía el suyo.

—Nada que justifique tu disfraz de diva incógnita, niña —contestó Gardea, burlón—. Vamos a comer, aun así te llevo.

—En la casa, por favor —pidió Adela, apresurando el paso.

—No, niña, se acabó tu encierro. En la casa no hay nada, vamos aquí cerca.

—Hoy no, Gardea, mañana. ¿Sí?

—Se acabó tu mañana. Desde ahora el hoy es tu reino, mi reina —y un travieso gozo apareció en él antes de que una voz a sus espaldas los hiciera voltear.

—Buenas tardes, Adela. Buenas tardes, señor —y un hombre alto, bien vestido, de nariz aguileña y oliváceo hizo una inclinación de cabeza. Adela intentó seguir caminando pero Gardea la obligó a quedarse parada junto a él.

—Buenas tardes —repuso—, ¿en qué puedo servirle? –y se inclinó como lo había hecho el sujeto al saludarlos.

—Me llamo Carlos Vasconcelos, señor…

—Gardea, Adolfo Gardea, servidor.

—¿Tendría inconveniente en permitirme unas palabras con la señorita, señor Gardea? Somos viejos amigos que hace tiempo no se ven.

—¿Conoces a este señor, Adela? —preguntó él a ella, paralizada: no abrió la boca ni dejó de ver al piso mientras el otro indagaba—. ¿Lo conoces, niña? ¿Es tu amigo?

—El término es impreciso, señor Gardea —dijo Vasconcelos, mirando a Adela—. Esta mujer y yo hemos sido mucho más que eso, hablando con propiedad.

Gardea vio un coche acercándose lentamente y a dos hombres que a unos metros los vigilaban. Uno de ellos era quien los había visto entrar a los baños, el otro tenía cara de pájaro rapaz.

—¡Halcón! —el hombre de cara de ave se acercó de inmediato—. Lleven al señor Gardea a donde él les diga.

El coche ya estaba junto a ellos y el segundo hombre abrió la puerta trasera.

—No —dijo Adela, encarando a Vasconcelos—. Él va a donde yo vaya. Si quieres hablar conmigo, estará presente.

—Desde luego —remató Gardea—. Ella no irá sola con usted.

Vasconcelos los invitó a subir al automóvil con gesto resignado. Esperó a que lo hicieran, cerró la puerta y se subió adelante con el chofer.

—Vamos al Lincoln, está cerca. ¿Te sigue gustando, Adela?

Gardea atisbó el entrecejo de Vasconcelos cuando el silencio de Adela se impuso a su perfil interrogante. El mantón estaba deslizado sobre los hombros de la paloma, los lentes oscuros iban en la mano crispada y su ceño era adusto. Pequeñas gotas de sudor en su frente.

—Has engordado —dijo Vasconcelos, ya sin buscar respuesta, y no volvió a hablar hasta que el auto se detuvo en la puerta del establecimiento. Los esperaba el Halcón, quien había llegado antes. Ofreció una mano que Adela desdeñó. Algo le dijo Vasconcelos mientras entraba al restaurante. —Señor, es un placer —saludó un mesero untuoso a Vasconcelos—. Tengan la bondad. Por aquí. Señores, señorita —y encabezó la marcha hasta un reservado del primer piso. Era un salón decorado con óleos de caza. —El de siempre, señor —dijo a Vasconcelos, quien asintió complacido. —Y que la recupera, ¿eh, pareja? —el Halcón hablaba con el hombre que localizó a Adela. —Siéntese, Gardea, hágame el favor. Adela, donde gustes —Vasconcelos oficiaba con una cortesía ampulosa. —¿Cuánto hace ya, Halcón? —preguntó el otro. —Han pasado muchos días, Adela —dijo Vasconcelos, cuando los tres estuvieron sentados. —Un buen, un largo rato —contestó el Halcón, recargándose en el coche. —Dígame, señor Vasconcelos, ¿qué quiere de nosotros? —y Gardea pretendió cierta indiferencia. —Sólo tiene que salir del acompañante —anotó el otro, y el Halcón hizo una mueca. —Está usando un plural indebido, Gardea. Mis asuntos son con Adela, no con usted —dijo Vasconcelos. —Se lo va a decir, y de entrada. No será el jefe si no —contestó el Halcón. —Parece que ya no —dijo Adela, y bebió un trago ansioso. —A ver qué le responden. Esa mujer está dolida —sentenció el otro. —¿Por qué crees que ya no, Adela? ¿Así de simple te resulta? —dijo Vasconcelos con su calma intacta. —El jefe es un chamán, pareja. Puede hacer a su antojo —repuso el Halcón, en pose displicente. —Sí, en estos días he visto muchas cosas —dijo Adela, y acercó su mano a la de Gardea. —Pero el otro la ha aconsejado, Halcón. El otro es mala influencia —insistió el hombre. —Hábleme usted, Gardea. ¿Desde cuándo la conoce, qué hay entre ustedes? —dijo Vasconcelos, pasando por alto a Adela. —¿Y quién es el buey, de dónde salió, carajo? —bramó el Halcón. —Creí que usted iba a comenzar con las explicaciones —dijo Gardea, volteando hacia Adela para buscar asentimiento. —Seguro lo levantó la niña en el arroyo y se la comió —dijo el otro. —No, Gardea, va a empezar usted, que es el recién llegado —insistió Vasconcelos con frialdad. —Pues se lo buscó por puta, mi buen.

Andar cuscando cuando tiene tanto y tan cerca —dijo el Halcón, y se agarró los genitales. —No tienes derecho a husmear en mi vida. No le respondas nada, Gardea —dijo Adela, buscando de nuevo la mano que ahora reposaba en su muslo, fuera de la vista de Vasconcelos. —Pues será cosa de que lo palpe, Halcón —dijo el otro, exagerando en sí mismo la caricia genital de aquél. —La suavidad sólo es un disfraz, Adela. No te confundas con quien ya conoces —repuso Vasconcelos. —Que se la suelte toda, pareja. Que se la beba entera. Martillo para las putas —dijo el Halcón. —¿La fuente de mariscos es suficiente, señor? —quiso saber el mesero al abrir la puerta del reservado. —Martillo para las brujas, Halcón. Pero para la señorita otra cosa —dijo el otro. —¿Le apetece, Gardea? —preguntó Vasconcelos. —Y tú se la das, ¿no? —dijo el Halcón, irónico. —En eso venía pensando —dijo Gardea, y soltó la mano de Adela que sostenía bajo la mesa. —Qué más quisiera, Halcón. Pero soy último en la línea de sucesión —dijo el otro, humilde de golpe. —¿En los mariscos? —inquirió Adela con aspereza. —Las brujas son putas, pareja. Y al revés —dijo el Halcón con amargura. —Desde luego que no, Adela —contestó Gardea, acercando su plato a la fuente. —Pues por eso volarán en palo de escoba, Halcón —dijo el otro. —¿Dónde trabaja, Gardea? No acabo de establecer cuál es su oficio —dijo Vasconcelos. —De veras no lo entiendo, pareja. ¿Pues quién es, qué le vio? —dijo el Halcón. —Soy matemático en receso. Ahora me dedico a hacer inversiones —dijo Gardea con la boca llena. —A la mejor la anda taloneando, Halcón. Y ésa ha de dejar dinero —dijo el otro. —¿Y en quién invierte estos días? —preguntó Vasconcelos, al tiempo que servía jaiba y camarones en el plato de Adela. —Por eso sólo se te acercan despojos, pareja. ¿Cuándo has visto a un padrote que parezca oficinista? —dijo el Halcón.

—En qué, no en quién —corrigió Adela, indiferente al comedimiento de Vasconcelos. —Recuerdo a uno que parecía obispo, Halcón —dijo el otro. —En la memoria, en la vida, en el vapor. Y en la paloma —contestó Gardea, señalando a Adela. —La niña no es de ésas, pareja. Nunca la has visto bailar —dijo el Halcón. —¿Y por qué toma lo que no es suyo, Gardea? Quédese con la memoria, con la vida y con el vapor. Pero deje en paz a la paloma. ¿Así te llama, Adela? —dijo Vasconcelos. —Todas bailan, Halcón. Son hembras y para eso están —dijo el otro. —Que lo decida Adela, no usted —dijo Gardea. —Ya, carajo. Que se apure el jefe y se la quite —dijo el Halcón, meditabundo. —Podríamos preguntarle, Gardea. Pero prefiero no hacerlo —dijo Vasconcelos. —No es tan fácil, Halcón. La niña no va a querer —advirtió el otro. —Hágalo, verá lo que le contesta. ¿O no desea escucharlo? —dijo Gardea. —Importa madres lo que ella prefiera, pareja. El jefe ni siquiera se lo va a preguntar —aseguró el Halcón. —No creo que le importe lo que yo quiera, Gardea —dijo Adela, con voz quebrada. —Entonces ya: que ponga en su sitio al contador y que se levante con la dama —dijo el otro, despegándose del coche donde se recargaba. —Demando su acuerdo, Gardea, no el de ella —dijo Vasconcelos. —De veras que la jornada será larga —dijo el Halcón. —¿Y así quiere retenerla, menospreciándola? Debo manifestarle que no lo comprendo —repuso Gardea, en tono de reprobación. —Pues aquí no va a saberse todavía nada, Halcón —dijo el otro, volviendo a recargarse en el auto. —Comprender es un talento secundario, Gardea. No se afane en practicarlo —dijo Vasconcelos. —Señor, ¿abro la otra botella? —ofreció el mesero. —Necesito un trago, pareja. Esa mujer me hace sentir en el desierto —dijo el Halcón, oteando a la distancia y echando a andar hacia la esquina. —Adela despierta la sed —dijo

Vasconcelos, y señaló los vasos que se alineaban en la mesa. —Órale, mi Halcón. Yo lo sigo —dijo el otro, incorporándose. —Lo dirá por experiencia. Lo de la comprensión, no lo de la sed. O también —dijo Gardea, calibrando la molestia de Adela. —Dos cubas —dijo el Halcón. —Sí, también. Usted parece inteligente, Gardea —dijo Vasconcelos. —¿Nos dará tiempo, Halcón? No vaya a ser que el jefe corte por lo sano —dijo el otro. —Lo recíproco: usted igual. Y no crea que distribuyo elogios tan fácilmente, ¿verdad, Adela? —dijo Gardea, y empezó a perder el sentido del momento. —Al rato te asomas, pareja, puede no tardar —dijo el Halcón. —¿Vamos a hablar ya o todavía no, Gardea? ¿A qué horas me sacas de aquí? —dijo Adela. —¿Y si se le quieren ir, Halcón? La gente se va de repente —dijo el otro, y pidió su segunda cuba. —Adela es una mujer voluble que se fatiga muy pronto, Gardea. Ya lo ve, es impaciente y caprichosa: se quiere ir —dijo Vasconcelos. —Es el jefe. Neta: es mago, ¡carajo! —dijo el Halcón. —Pero parece que provoca en usted sentimientos densos, plutónicos, si no le molesta que lo exprese así —dijo Gardea. —La niña se puede poner mal. Y de veras está rica —dijo el otro, y se terminó el trago. —¿Dónde vamos a terminar, Gardea, cuándo se acaba? Empiezo a estar harta. Te rogué que hoy no saliéramos —dijo Adela. —No te aferres, pareja —dijo el Halcón, y pidió otra cuba —¿Se ofrecen licores, patrón? —preguntó el mesero. —¿Le interesan los sentimientos, Gardea? ¿Los suyos, los míos, los de Adela? ¿O sólo es una manera de hablar? —dijo Vasconcelos. —La dama va a desfallecer, mi Halcón. Hay que estar cerca. Chance es nuestra —dijo el otro, y pidió su tercera cuba. —Yo quiero poner un burdel en alguna isla griega. Siempre he pensado que es mi negocio. No viene al caso ahorita, pero se me ocurre —dijo Gardea. —Vete a asomar, pareja. Y déjalo ahí —dijo el Halcón, y le sirvieron un trago. —¿Piensa llevarse a Adela con usted? —dijo Vasconcelos. —Siguen, Halcón. Pero no vi ni a la reina ni a los monos —dijo el otro y se sentó. —Sí, Gardea, dile que sí y vámonos. Te vas a embriagar —dijo Adela. —Estás cabrón, pareja. Parece más tuya que mía —dijo el Halcón. —Sí, a donde va uno se lleva lo que es de uno —dijo Gardea. —Pues será de quien la consiga primero. ¿O cómo ves? —dijo el otro. —Usted parece ser un hombre inteligente, Gardea. Así son los matemáticos casi siempre, ¿verdad? —dijo Vasconcelos, y miró con desprecio a Adela. —Desde ayer se me están rompiendo las agujetas —dijo el Halcón, y se inclinó bajo la mesa. —Ya me lo mencionó y ya le contesté —dijo Gardea. —Zarpó la noche, Halcón. Voy a prender la rocola —dijo el otro. —Por eso lo repito, para que lo note. Las mentes matemáticas establecen vínculos entre las cosas, ¿no? —dijo Vasconcelos. —Sí, pero no te excedas, pareja. Nada que nos abrume —dijo el Halcón. —El nuestro está roto, si es que vas a llegar a él. Gardea, por última vez —dijo Adela. —Son tres, mi Halcón, que por tres son nueve. En diez minutos se nos cura el alma —dijo el otro. —Véala como es, porfiada y evanescente. Nunca está a gusto más que donde no está. Pero usted es un hombre de capacidades, su campo es muy árido, ¿verdad? —dijo Vasconcelos. —Eres un rústico, pareja, aunque la niña ande pidiendo. Ya vete a asomar —dijo el Halcón. —No creo que tanto como el suyo. Yo tengo lo que usted ha perdido —dijo Gardea. —Nada más que acabe José Alfredo. Salgo con Javier Solís —dijo el otro, y pidió una ronda más. —Estoy dormida. Cuando terminen me despiertas, Gardea —dijo Adela, y puso la frente sobre la mesa. —¿Música, patrón? Un trío para la dama —dijo el mesero. —¡Qué puto cancionero Picot! Mejor Usted es la culpable —dijo el Halcón. —La responsabilidad es un bien,

Gardea. No lo distribuya con tanto descuido —dijo Vasconcelos. —No, mi Halcón, mano implacable. Cuesta abajo en tu rodada. Voy a ver —dijo el otro. —Lo del negocio lo tengo bien calibrado. Me faltan los trámites de salubridad. Seguro allí son paganos, nunca han dejado de serlo —dijo Gardea. —¿Alguna complacencia para la dama, patrón? —indagó el mesero. —La reina ya salió con los monos. O yo creo —dijo el otro, y se quedó de pie. —La vida sin música sería un error —dijo Vasconcelos. —¿Y siguen? —susurró Adela. —Si los perdimos los pagas —dijo el Halcón. —La clientela será de marineros. Entrada por salida. Pero sí, pueden cantar —dijo Gardea. —Sobre la calle, mi Halcón. Fase dos —dijo el otro, y salió tropezando. —No le costará trabajo. Una persona de su capacidad —dijo Vasconcelos. —No lo conoces encabronado, pareja. Por Dios que es mago —dijo el Halcón a la puerta del restaurante. —A ver si alguna vez nos visita. Las paredes encaladas sosiegan —dijo Gardea. —Que la reina sigue entre los monos y que un trío la reconforta —dijo el otro. —De pronto desafinan, patrón. Pero irán mejorando —dijo el mesero. —Mi placer va a ser el suyo, Gardea. Aunque sugiero que se cuide del sol. Alguien como usted tiene obligaciones —dijo Vasconcelos. —Voy a ver qué le están tocando, pareja. Te quedas a cargo —dijo el Halcón. —¿Gafas o sombrero? ¿O gafas y sombrero, no? Cierta extravagancia, pero calculada. No me gustan los excesos —señaló Gardea. —Dile que no la olvido, mi Halcón, pero bonito —dijo el otro. —¿Notó usted el falsete, patrón? —inquirió el mesero. —A veces el desorden es un orden que nadie puede ver, Gardea. Pero presumo que ya lo ha intuido —dijo Vasconcelos. —Usted es la culpable, pareja. Sólo con ésa —dijo el Halcón, y se recargó en el coche donde el otro estaba recargado. —Siguen —dijo Adela sin moverse. —Nos vamos en un minuto —dijo Vasconcelos. —«Sexfinge». ¿Se oye bien? —dijo Gardea. —Honradísimo, patrón, honradísimo —dijo el mesero. —Allí viene la reina sin los monos —dijo el otro. —Búsquenos, Gardea. No deje de hacerlo —dijo Vasconcelos, y se marchó llevándose a Adela.

XVII

«Ahí», y el hombre señaló a lo lejos. Pero la mujer que lo acompañaba podía saber quién, entre la masa de transeúntes, el otro mostraba. «No», respondió ella. «Es demasiado joven, necesitamos a alguien de más edad». «¿Una mujer, entonces?», preguntó el hombre. «Ya te dije que mujeres no. Más adelante», contestó Carmen.

Un frente frío desde el norte postraba a la ciudad. Las nubes eran bajas y persistentes y la luminosidad había sido desigual toda la mañana. El aire se movía en ráfagas propias del mal tiempo y las montañas que rodeaban al valle aparecían a la distancia como un espejismo a punto de evaporarse. La gente iba apresurada, librando a su alrededor una batalla minúscula en medio de la intemperie. La Alameda Central se veía empapada: tanta humedad atmosférica cubría los follajes, las bancas de hierro, algunas estatuas borrosas y los senderos de piedra que la cruzaban. Las cúpulas de las iglesias aledañas flotaban suspendidas en nada, parecían haberse desprendido de sus volúmenes mayores y seguir subiendo por ese cielo de acero sombrío, grisáceo. Largas agujas descoloridas podían adivinarse como columnas puestas para sostener una bóveda en trance de venirse abajo. El sol rompió un par de veces algún punto de la emulsión que se veía arriba, pero las nubes se multiplicaban para evitar su paso.

—El tiempo es malo —dijo el hombre.

—Pero el momento es bueno —consideró Carmen—. Ten paciencia.

—¿Y ese anciano? —replicó el hombre.

—No —dijo Carmen—. Trae a la muerte muy cerca. ¿No lo ves?

El hombre hizo una mueca de desagrado y se separó unos pasos. Era de estatura mediana, robusto y de rostro ajado. Más que viejo parecía avejentado, como si en sus rasgos enjutos coexistieran con esfuerzo dos condiciones a veces excluyentes y a veces mezcladas: era un viejo con cara de joven o un joven con huellas de viejo. Vestía una gabardina de aire castrense y el cabello entrecano le llegaba hasta los hombros. No parecía muy a gusto bajo la inclemencia pero también podía parecer que no le importaba, que su disgusto era por esa espera que ya era larga, monótona.

—Vamos a San Felipe —dijo Carmen de pronto—. Es en San Felipe.

El hombre la vio con desconfianza. Era muy repentina la decisión, inesperada.

—El tiempo es malo —volvió a decir, con desgano.

Carmen echó a andar y el hombre tuvo que seguirla cuando ella lo rebasó.

Iban contra la corriente. Esas líneas gruesas que se forman de pronto en las ciudades: todos se juntan y caminan. Tráfico.

La atmósfera cortaba cubos en las imágenes, trazos rectilíneos como pórticos o dinteles. Avanzaron hasta llegar al templo, y sus limosneros habituales, los andrajosos que lo circundan en sus escalinatas estaban allí a pesar de todo.

Carmen entró por delante. El templo se sentía caldeado y

silencioso, envuelto apenas por un rumor extenso que lamía sus muros de piedra, se colgaba de sus altares y envolvía sus estatuas santificadas. Caminó seguida por el hombre a cierta distancia hasta rodear la iglesia por sus dos extremos. En la capilla del Milagro Sanguíneo se celebraba un acto expiatorio que no mereció su atención. Del compacto grupo que llenaba ese altar lateral se desprendió un hombre cuando Carmen pasó por enfrente. Casi se dio de bruces con el acompañante de ella, unos metros atrás. Éste dejó el lugar a quien salía de la capilla con tanta prisa y se detuvo para ver cómo abordaba a Carmen.

—Discúlpeme señora —dijo al tomar con suavidad su brazo y hacerla voltear. Carmen tuvo un gesto de sorpresa. Creía que la llamaba su compañero y al ver al extraño dio un paso hacia atrás. Quien la interpelaba era un hombre de cicatrices en el rostro y mirada acuosa—. Tuve de pronto la sensación de que usted me buscaba —dijo en un susurro que Carmen apenas escuchó. El hombre temblaba ligeramente, en su piel había pequeñas manchas como tintura médica y se mesaba el cabello largo y sucio, de bucles aceitosos, sin llegar a tocarlo. Sólo fingía el gesto con extremo cuidado, y cuando llegaba a los hombros volvía a repetirlo. Vestía un gabán raído y lo llevaba cerrado hasta el cuello. Podría tener una treintena de años, podría ser un alcohólico, podría ser nada más que un infeliz.

—¿Qué quiere este sujeto? —preguntó con rudeza el acompañante de Carmen al acercarse a la pareja. Un gesto de ella detuvo su acometida, pero el hombre que le hablaba no pareció enterarse.

Carmen lo miró con detenimiento. Sí, ella buscaba a alguien. ¿Cómo es que éste lo sabía?

—¿Por qué cree que lo estoy buscando a usted? ¿Por qué

cree que busco a alguien? —preguntó en voz baja, como el otro se había dirigido a ella.

—Soy San Pablo, señora. Por las noches reposo en aquel adoratorio —y señaló un nicho vacío al lado de la capilla del Milagro Sanguíneo—. Me pongo en sus manos al decírselo, desde luego. El dogma saltaría por los aires si estos idólatras conocieran mi identidad: no lo tolerarían, rehusarían creerlo. Tengo un problema de autor. No me reconozco en las traducciones que se han hecho de mis evangelios. Es cierto que mi prosa se construyó con los sobresaltos del momento y que tiene todos los vicios del periodismo político: faltan inflexiones, matices, cribar los lugares comunes, mayor esfuerzo en las metáforas, menos sentencia y más narración, sí. Pero todo eso ni explica ni justifica la tergiversación sistemática que a lo largo de los años se le ha hecho sufrir. ¿Usted conoce mi obra? Confusi sumus, quoniam audivimus opprobium: operuit ignominia facies nostras: quia venerunt alieni super sanctificationem domus Domini. Eso es Jeremías, porque los profetas han sido respetados en la colección de fantasías que es el Antiguo Testamento. Pero nuestros hechos no, los evangelistas hemos sufrido. Y yo más que todos. Mi prosa, sabe usted, es mucho más frágil.

Guardó silencio porque la ceremonia terminó y los fieles pasaban junto a ellos. Carmen se volvió hacia su acompañante y éste esbozó un remolino alrededor de su sien. Carmen negó con la cabeza pero se apartó del evangelista mientras la gente seguía saliendo.

—¿Lo buscábamos? –preguntó el hombre con una sonrisa falsa. Quien se decía San Pablo parecía petrificado entre la corriente que circulaba a sus lados. La vista clavada al piso, las manos enlazadas al frente, los hombros caídos.

—Nosotros a él no, pero él a nosotros sí —dijo ella. El flujo terminó, una madre pasó al final con su hijo pequeño. San Pablo destrenzó las manos para acariciar apenas la cabeza del infante cuando lo tuvo cerca y volvió la vista a Carmen.

—Entonces —dijo, y abrió los brazos como si esperara algo que debía entrar a su regazo—, usted me estaba buscando.

Un acorde orgánico llenó la atmósfera del templo. Desde arriba, en el coro, las notas descendían de tubos dorados, abiertos en la punta como madrigueras de un sonido cuya realidad fuera aun así volátil. San Pablo simuló algunos pasos de baile, ajenos a la música sacra que ejecutaba el organista de San Felipe. Iniciaría la elevación del Santísimo y los fieles se reunían al pie del altar mayor.

—Entonces —volvió a decir, mientras baila torpe, suavemente—, usted me estaba buscando, señora.

—¿Conoce lo que todavía no ocurre? —preguntó Carmen en una inspiración súbita.

—Su cuestión merece otra. Escuche, señora —dijo San Pablo sin dejar de mecerse—: «¿de qué modo se disminuye y consume el futuro que aún no existe y de qué modo crece el pasado que ya no está, si no por existir en el alma las tres cosas, presente, pasado y futuro? En efecto, el alma espera, presta atención y recuerda, de manera que lo que ella espera, a través de aquello a lo que presta atención, pasa a lo que ella recuerda. Nadie niega que el futuro no existe aún, pero en el alma ya existe la espera del futuro. Nadie niega que el pasado ya no está, pero todavía está en el alma la memoria del pasado. Y nadie niega que al presente le falte duración ya que cae en seguida en el pasado, pero aún dura la atención a través de la cual lo que será pasa, se aleja hacia el pasado». San Agustín, señora, otro más afortunado que yo. Y si en el alma ya existe la espera del futuro, a veces también está su conocimiento. Entonces, usted me estaba buscando...

Al fondo, en el altar, un sacerdote elevaba un cuerpo encerrado en un círculo de harina y una campanilla histérica exigía postraciones. El cáliz que mostraba con las dos manos paseó su ojo blanco hasta detenerse en el trío agustiniano colocado en un extremo de la iglesia. La campanilla redobló su grito agudo y San Pablo cayó de rodillas.

—Por su culpa, por su culpa, por su grande culpa —dijo con una voz que se impuso sobre el retintín de metal. Algunos fieles voltearon hacia atrás, de alguna fila salió un murmullo reprobatorio y la campanilla chasqueó como látigo dispuesto a hacerse obedecer.

—Por mi culpa, por mi culpa, por mi grande culpa —corrigió el sacerdote, ampliando su voz por encima de las cabezas ensimismadas hasta aquel hombre que alteraba la liturgia.

—Por nuestra culpa, por nuestra culpa, por nuestra grande culpa —respondió San Pablo, golpeándose el pecho con un ostentoso rigor.

—El tiempo es una propiedad, un acompañante del movimiento —dijo el hombre a Carmen cuando salieron del templo. El frente que avanzaba desde el norte ya había ocupado toda la ciudad: sus esquinas bifrontes y quebradas por aquella película distante que el frío impone; sus coladeras, pozos profundos, vómitos subterráneos; sus cables infinitos, marañas aéreas, culebras de nubes delgadísimas, tanto que se vuelven hilos; sus pensamientos, materia inerte de quienes la recorren y deben agradecerle que los deje estar. La ciudad.

—Eso afirmaba Epicuro, Carmen —dijo cuando sorteaba a los famélicos habitantes de la escalinata de San Felipe.

—Pues eso no dijo San Pablo —respondió Carmen.

—¡Ja! –exclamó el hombre–. Nunca he soportado a los sicópatas. ¿Tú sí?

Carmen no contestó. No iba a explicar nada ahora que su brújula, a veces empañada y oracular como un volcán mudo, se equivocara. «Es en San Felipe». Recordó la frase para sí. No había sido lo que estaba buscando. Los años ya estaban sobre ella y la espera del futuro era igual a ese presente lleno de equívocos y figuras anormales. Y el pasado —costal pegajoso, indestructible, lleno de deudas, de omisiones y heridas— rondaba sobre sus ojos. «Sólo hay bondad en el olvido, pero la vida se empeña en recordar».

—¿Qué dijiste, Carmen? —preguntó el hombre—. Vienes hablando.

—No lo dije para ti —respondió cortante la mujer.

Salían ya del cuadrante donde se asentaba San Felipe e iban de regreso hacia los árboles domados por el mal tiempo. Las reglas de la convocatoria prohibían repetir un intento malogrado. Hoy no habría a quién buscar. Mañana, o aun después. Pero hoy terminaba, aunque la luz desvanecida de ese día siguiera sus siluetas sin sombra ni resonancia. La magia no puede repetirse de inmediato: la salamandra necesita intervalos para cambiar su color.

Atrás de ellos, en un espacio lejano, San Pablo buscaba ahora a quien lo buscara. Veía desde las escalinatas del templo pero apenas a unos metros todo era borroso. Miró a la izquierda y después a la derecha, hizo una genuflexión hacia los cuatro puntos cardinales y volvió a la iglesia. Ciertos ritos no sabrían cumplirse sin él.

La noche estaba presente. Dejaba a un lado la nata que envolvía la atmósfera para oscurecerla. Las luces brillaban espectrales, como si alrededor de su materia disminuyera la claridad.

El hombre se detuvo para esperar que Carmen llegara a su lado.

—¿Tuvo algún sentido? —preguntó cuando estuvo junto a él.

—Pikros —dijo Carmen con violencia contenida—. Amargo, porque corroe las ilusiones delirantes de la conciencia —continuó.

—¿Así fue? —dijo el hombre con una mueca cínica.

—Sí, el conocimiento es amargo, como la verdad o como esta agua. Agua amarga, mística agua. Pero no entiendo todavía la aparición de ese mensajero —dijo Carmen.

—Fue arbitrario. No corresponde a nada —argumentó él.

—La arbitrariedad no es el suelo de nuestros asuntos. Todo ocurre porque debe ocurrir. «Muéstrame tu rostro original». ¿Te acuerdas? —dijo Carmen, impaciente.

—Nunca vemos lo mismo —dijo el hombre, ahora desdeñoso.

—No, ni sabemos lo mismo —contestó Carmen.

En tal momento la lluvia reforzó su asalto. Una sirena emitió una queja distante y una ráfaga de viento azotó a la pareja. Carmen levantó un capuchón que hasta entonces llevaba sobre los hombros. Su rostro se suavizó entre los pliegues de la tela, como si fuera el de una matrona que repartiera consuelo, caridad.

—Serpiente de ojos verdes —dijo el hombre, y extendió la mano para acariciar el rostro de Carmen.

—Nunca me digas así —replicó, rechazando la caricia antes de que llegara a tocarla—. Tú no eres quien domesticó paisajes. Aquél sí, pero tú no.

El hombre alzó los hombros y caminó unos pasos atrás. «Quiero regresar», dijo. Carmen aceptó. Fueron juntos y en silencio hasta perderse en los senderos oscuros de la Alameda.

El temporal no mejoró. Del norte llegaban masas húmedas y eléctricas que desalojaban su carga. Los contornos de la ciudad se diluían. Quién sabe cómo vendría el amanecer.

XVIII

El sueño de Jacobo Cartola reforzó su destierro: nada encajaba en nada, ni las figuras sombreadas que se alzaban desde la penumbra, ni los cambios de escenarios, ni la zozobra de esa jornada.

Despertó tan dolido como si su recuerdo se alzara infranqueable, como si no hubiera reposo. Sus ojos recorrieron el sitio donde estaba. Un cuarto amplio de vigas burdas, paredes desnudas y repilladas con algún instrumento —una mano, un trozo irregular de madera— que dejara en ellas protuberancias y accidentes. «Cierta intención furiosa», divagó Jacobo desde la cama. Por la ventana, cubierta con cortinas blancas como los muros, el sol filtraba un cordón. Junto al lecho quedaba una pequeña mesa y en ella un termómetro. Estaba roto y polvoriento, era de lámina y tenía una inscripción arriba, en su pequeña punta, decía Doctor Pep.

Cartola se incorporó con dificultad y pesadumbre. Era uno de esos momentos donde la cama resultaba la menos mala de cualquier acción y mejor quedarse en ella.

Poca era la instrucción del hombre: estudios escasos en escuelas escondidas. Aunque en medio de sus paredes viejas y descascaradas, verde pardo, rojo remolacha, Jacobo supo que el tiempo lo envolvía como parte de un espacio tan dilatado que uno sentábase bajo su fronda y el mundo quedaba en orden porque se mostraba inmóvil.

Entonces era niño todos los días, confundido con aquello que asomaba su rostro agrio. La escuela era el único sitio que detenía los vendavales, la tensión rasposa con todo, o casi. La escuela suavizaba algo: daba canchas de futbol —esas mesetas que la pericia inspirada hacía brillar como arco iris de neón—, daba otros —uno se mezclaba con quienes debía saber que estaría siempre y además nunca—, daba premios y castigos, y eran más equilibrados que en cualquier otro lugar: pura competencia y Cartola debe pasar a recoger su galardón.

Se paró por fin y alcanzó la puerta.

Forcejeó con ella antes de que el sol le diera de lleno. Subió la mano a sus ojos como visera. Por ahí andaba el Halcón.

—Barrabás. Te tardaste —dijo suavemente, y lo rozó.

Jacobo se movió para esquivar el movimiento después de haber sido tocado.

—¿Qué horas son, eh? —preguntó. El otro dijo: llevo un chingo aquí.

—¿Qué horas son? —repitió.

—Es tarde ya, Barrabás. Y hay quehacer —dijo. Se alejó y le hizo un gesto imperativo—. Es rápido, para ya —insistió.

Jacobo lo siguió a tropezones. Pasaron por la casa a la que entró a oscuras. Un sendero de piedra daba la vuelta enfrente de ella. Había pinos y, a la distancia, el ancho tajo de una carretera que correría por las alturas. A un lado se alineaban dos o tres coches grandes.

—Qué facha, Barrabás. Regresando te bañas, me cae. Aquí no se puede andar así —dijo el Halcón al trepar los dos a uno de los autos.

—La pecera. Mírala —habían salido del camino de tierra hasta tomar la vía que bajaba.

—¿Adónde vamos? —preguntó Jacobo, viendo la pecera humosa que lanzaba rayos oblicuos a los cristales.

—Más o menos cerca, más o menos lejos. Si sale a la primera, aquí nomás. Si no, no —dijo el Halcón, y puso el pie en el acelerador para desbocarse por un tobogán de curvas con la ciudad abajo, asomada después de cada peralte. Como si la pista fuera ir hacia la urgencia extrema, derrapando con la gozosa prisa de un proyectil. El Halcón metió el pie y la ciudad mostró su dimensión inabarcable abajo de Cartola.

—¿Y adónde vamos, Halcón?

—Hasta que dices mi nombre, Barrabás.

—¡Por Dios! ¿Adónde?

—Creo que no lo sé.

—¿Qué?

—No lo sé, Barrabás. Fácil. ¿A poco tú sabes todo ahorita?

—¡Por Dios!

—Ya te dije: aquí cerca. Pero no sé.

—¿Por qué tanta prisa?

—¡Ay, Barrabás!

La pista seguía abierta o era el Halcón, que sumergía el auto tan rápido y grácil como una bailarina se mete a cuadro. Faster and faster they ran! Y la infancia apareció ante Cartola después de una curva perfecta. Ya había viajado tan rápido, alguna vez: como el jinete que debe alcanzar a otro para que un primero no salve la vida de un condenado a muerte, acaso él mismo los tres. ¿Un avión? Sí, un avión devorador de nubes, panzón como un pájaro viejo y con dos hélices de metal. Su madre lo subió en un día nublado para salir de esa olla de barro negro que era El Marquesado. ¿Vivir allí? Nunca más. «Adiós, esposo. Regresé a la ciudad con los niños. ¿Nos alcanzarás algún día?» Y el vuelo dejaba ver las castigadas tierras indígenas de las que se marchaban, áridas en partes como si fueran de piedra, verdes a tramos como el paraíso. Su madre («escucha, esposo») abandonaba la guerra civil de la familia política. Pastores peleados entre sí para ganarse todo, conspiradores mediterráneos arrinconados en un pueblucho que se iba a dormir temprano. Y al abandonarla la perdía, la perdía su esposo, la perdían los hijos. «Esposa, los alcanzo. Aunque el golpe es durísimo». Y la pobreza comenzó, el desorden tapaba las salidas. Lo que quedaba, poco, menos que antes, debía defenderse a dentelladas para trepar la escalera a tiempo y partir un día por avión. Pero la madre se movió inoportunamente. «Adiós, esposo. Recuérdanos antes de que nos olvides». Debía pelearse la heredad, aunque se fuera igual que ellos, porque el pleito es el abono de la sobrevivencia. ¡Ay de aquel que sufra en la batalla, sufrirá toda la vida!, debe decir algún texto clásico.

La curva cambió la visión. Mala memoria. Jacobo y el Halcón la tomaron por su parte interior con la máquina aullando. El auto se enderezó porque el conductor dio un giro al volante.

—Al patrón le urge —dijo el Halcón.

Cartola oyó el comentario y se resignó. Si todo era imprevisible, esto también lo sería. El auto frenó.

XIX

Ruano dejó el hotel de Pilzer cuando los himnos del hotelero loco todavía no alcanzaban el final. Se quedó esa noche y muchas otras en la casa de las dunas, y el pueblo a sus pies, sapo lleno.

Bajó cargando historias, con el catálogo sin cliente.

—¿A poco anduvo arriba? —le preguntaron en el pueblo.

—Allá es acá —contestó, y ese mismo día salió de los Altos. Se fue para que ninguna sombra detuviera su deseo de marcharse a una tierra donde pegara distinto el sol. Bajó sin dejar de soñar. Diamantes o anillos, poliedros o tableros. La fantasía aun en la vigilia, la noche aun después de la oscuridad.

Ruano se encaminó hasta la ciudad y los anales de la arena amarilla quedaron olvidados. Otras imágenes ocuparon la rasposa voz de los insectos serios, desalojaron el incómodo sabor de las fábulas del Gran Hotel. «Infierno grande no es infierno», dijo cuando el camión en que viajaba dejó atrás las goteras urbanas hasta alcanzar la céntrica estación. «Paisano: la ciudad promisoria te da la bienvenida». Acomodó sus cajas y una maleta sobre la acera y esperó un taxi que lo llevara a la única seña conocida: señora Arabella, Chiapas 83, interior seis.

—¿Cotorra o cocodrilo, patrón? —preguntó el maletero.

—Lo que sea que me saque de aquí —repuso Ruano, comiéndose el aire pestilente a puños, admirado de tanta civilitud. «Infierno grande no es infierno».

—¿Verdad que no? —dijo satisfecho, encaramado en un taxi verdinegro, de blancos triángulos dentados: cocodrilo—. Aquí se vive bien.

—Asegún, jefe, asegún —dijo el chofer meditabundo.

—¿Y cómo se sueña? —indagó Ruano.

—Depende de las querencias, jefe, depende —contestó el chofer.

Unos pesos la tarifa, un saludo inútil, la señora Arabella no está. Pero le ayudaron con sus cosas, déjelas aquí, vaya a dar una vuelta para hacer tiempo, habitación tendrá, agua caliente hay casi siempre y luz también. ¡Ah!, y a media cuadra está un parque, el Libertador San Martín. Sí, ya llegó la señora, preguntó por usted.

—No recibimos desempleados, señor Ruano. Son insolventes, depresivos. Pagan después de fin de mes —dijo la patrona.

—Puedo adelantarle algunas rentas —dijo Ruano.

—Sólo así. ¿Y a qué vino, señor Ruano? ¿Ya dispuso qué hacer con sus domingos? —preguntó la casera—. Hoy es viernes.

—Aprenderé, señora. Para eso llegué hasta aquí —contestó Ruano, después de acomodar billete sobre billete al comprar su bienvenida.

El cuarto junto a la escalera, nadie quiere ruidos después de las diez, no puede recibir visitas en la recámara, toda llamada se paga, la ropa de cama se cambia una semana sí y la otra no, somos gente decente, señor.

Los domingos estériles, vacíos, pero igual lo demás. Infierno grande es doble infierno, a que sí. En la planta baja los estudiantes de medicina, puro ratón de rancherías incartografiables. Ebrios el viernes, después de las diez, manoseando en grupo a sirvientas metidas de contrabando. El sábado bañados con jabones baratos para alcanzar el camión y volver al nido, adiós ciudad, diles que no regreso, aunque el lunes otra vez de blanco, tan temprano como la cruda finisemanal de la voz engarrotada y la mirada turbia. Arriba los huéspedes regulares: el actor sin llamado, la maestra asmática, la solterona insípida, el sudamericano rencoroso. Y Ruano.

—Vengo a ver su cuarto —dijo la maestra, al primer fin de semana—. Discúlpeme si toso, pero puede ser de su interés. El diafragma se contrae y el bajo vientre aprieta. ¿Quiere probarlo?

—Vengo a ver su cuarto —dijo la solterona, días después—. Mi boca es grande y mi coño es de hierro. Lo pongo todo a su disposición.

—Vengo a ver su cuarto —dijo el actor, casi un mes más tarde—. Cuando quiera sol deje la puerta abierta, en un brinco puedo estar aquí.

—Vengo a ver su cuarto —dijo el sudamericano, cerca ya de redondearse tres quincenas—. ¿Le ofrecieron todo? Lo mío ni lo piense, no es igual.

—Vengo a ver su cuarto —dijo la casera una noche después de las diez, y se quedó durante meses, floja de carnes y en camisón—. No sea que los otros se le vayan a meter, ¿José?

Ruano pagó con hastío su pobreza. Ya me darás, decía Arabella, y abría su cuerpo de ballena blanca para que el huésped se atragantara con los pliegues fofos de sus muslos de cal. Ya me darás.

La mañana despuntó. Ruano abrió los ojos cuando el sol se colaba por los rincones. Vio con disgusto el frasco de cristal del somnífero y el vaso sin agua sobre el buró. «Química», se dijo a sí mismo a través de la media luna que lo reflejaba desde un mueble artesonado.

—¿Amparo? —Ruano estaba ya vestido, impaciente por la tardanza de la secretaria en responder a la llamada.

—Buenos días, licenciado. Dígame—contestó por fin la mujer.

—Llegaré tarde, Amparo. Voy a visitar a Vasconcelos. ¿Se ofrece algo?

—Nada, señor, todo está en orden. Sólo Gardea ha vuelto a faltar hoy.

—Échelo cuando llegue.

—Sí, señor, así lo haré.

Ruano colgó el auricular, tomó un portafolios negro y fue hacia la puerta. Abajo lo esperaba el chofer, el tiempo estaba bueno y la ciudad se abrillantaba bajo la claridad de la mañana. «A Lomas Virreyes. Con Vasconcelos», ordenó Ruano. «¿Usted sueña, Benjamín?», pensó preguntarle al chofer. Pero no lo hizo: siempre habrá otra ocasión.

Llegaron a un edificio de unos cuantos pisos y Ruano descendió del vehículo. Subió la escalinata de la entrada, rechazó el libro de visitantes que el recepcionista le ofrecía y entró al elevador. «Piso siete», dijo con voz inapelable a un mocito vestido de fantasía. La puerta del elevador se abrió ante una estancia lujosa.

—No tiene cita, señor Ruano —dijo la secretaria.

—No la necesito. Pregunte usted —respondió él.

—Me han dicho que sí —porfió ella.

—Que le digan que no —insistió él.

—Siéntese, hágame el favor —cedió la mujer.

—Quiero verlo de inmediato —terqueó él.

—Viene hacia acá. Quince minutos, señor —dijo ella luego de hacer una llamada. Ruano se sentó. Rechazó el café pero aceptó un vaso de agua. Dos postulantes hacían antesala. «Licenciado, lo haremos. Doctor, lo sabremos. Ingeniero, lo resolveremos». La secretaria de voz mecánica. Uno de ellos estaba metido en las páginas de un periódico y Ruano sólo podía ver sus extremidades y las carátulas de la publicación que sostenía: «El presidente prometió ayer que su régimen no sería de promesas», aseguraba el titular de la primera página. El otro se afanaba en prolijas anotaciones sobre papeles que sacaba de un cartapacios a su lado. Quince minutos.

En sus últimos meses el padre de Ruano estaba obsesionado con olores que nadie más que él percibía. Primero con los suyos

—¿huelo mal?—, súbitos, que surgían y consultaba con quien anduviera por allí. Después con los otros, los cuales denunciaba a voz en cuello e implicaban a cualquiera: curas, caciques, rancheros, boticarios, hasta que al fin estuvo el pueblo todo —¡huelen mal! ¿A qué olía la antesala de Vasconcelos? Notaba la discreta colonia del lector del periódico, el punzante roce del perfume secretarial, el aroma del café que el atareado apuntador de cifras sí aceptara, sus propios efluvios del baño matinal, el vaho dulzón de la grasa sobre los zapatos negros. Unos minutos más.

—Habló el chofer, señor. En estos momentos están entrando al edificio —confirmó ella.

Olía a poder, concluyó Ruano, cuando aceptó la última espera, otra vez viejo, sin dominio de nada. Lugar de sombras y de espantos, imposible saltarse ninguno de los aprendizajes del mundo. ¿Era suya la frase o acaso ajena? Lo mismo daba, él la decía.

—Nada, nada. Pienso en voz alta —aclaró cuando la secretaria lo atendiera. Entonces la debilidad también olía y con ella lo demás: hay perfumes que en toda materia suelen hallar lo poroso. Más de lo ajeno, porque lo propio, ¡tan limitado!

—Señor Ruano, sígame —dijo la mujer, acercándose hasta él. Al incorporarse vio que los postulantes seguían en sus tareas, la promesa que prometía no volver a prometer colgaba aún de la primera plana y las anotaciones corrían como gotero—. El señor Vasconcelos lo está esperando.

Ruano recuperó su voluntad tomando aire y se dijo recetas de Almafuerte: trémulo de pavor, piénsate bravo.

—Adelante, hágame el favor.

XX

Gardea quedó boquiabierto cuando la puerta se cerró detrás de Adela y Vasconcelos. Pero su embriaguez era un pozo donde él estaba desboblado: veía la acción y a la vez la sentía ajena. Joven —dijo el mesero—, continúo a su servicio. —¿Le informaron si van a regresar? —preguntó con dificultad. —No, joven, las circunstancias no regresan —dijo el mesero. —¿Ya de plano? —indagó. —Sí —dijo el mesero—, no vuelven más.

Salió a la noche temprano: ocho y media, cuarto para las nueve, a embriagarse más con la tenebrosa vehemencia de la ciudad que se suelta y se recoge al mismo tiempo. Salió al delirio. Un coche rozó su cabeza y una carcajada golpeó el ala de un sombrero que no llevaba. Esquivó cuerpos que se le venían encima, caminó entre protuberancias resbaladizas, creyó estar en una asamblea de truhanes. Al llegar a la esquina vomitó sobre una pareja que tuvo que saltar para evitarlo. Alguna maldición le cayó por la espalda y la ciudad hizo un hueco para que Gardea se postrara de hinojos y llorara su pérdida: Artículo 123 y Revillagigedo. Los comercios cerraban y los transeúntes eran escasos, pero a lo largo de la calle algunos focos de luz desalojaban risotadas, golpes secos, música en sordina.

Se incorporó trabajosamente. Secó las manos húmedas sobre el pantalón y dejó que las lágrimas acabaran de limpiar sus ojos. ¿Adónde, sin Adela? «Casi gata», dijo, y un sollozo lo estremeció de nuevo. Siempre lloraba por espasmos, con estallidos que se abrían paso a pesar de su garganta inhábil para dejar salir quebrantos o desplomes. La noche proponía decir que sí, que el dolor no tenía límites, que el llanto sólo era una de sus medidas y que la paloma se había ido como alguna vez llegara: sin saber.

¿Adónde?, volvió a preguntarse. A esas horas, en esos trances, a El Redondel. Y hacia allá fue.

Tenía que cruzar algunas calles y la acción se antojaba imposible: Gardea olía el asfalto, conocía su dificultad.

—Precavido, hijo, precavido —se aconsejó en voz baja y apoyándose en la pared echó a andar. Primera intersección. ¿Entonces? Debía caminar hacia arriba, dispuesto a seguir la pared como si fuera un cordón. Pero la pared semejaba el lomo de un animal elástico. Donde ponía la mano aquella se contraía, escapaba de su tacto igual que la presencia susurrante a su lado, voraz de tan abierta, como en alto contraste. Necesitó parar, pero su orientación salvó los malos pasos que ya había dado. A lo lejos se mostraba un letrero gaseoso: El Redondel.

En el lugar no había casi nadie. Gardea luchó para entrar. Izquierda. Cayó sobre la mesa o se sentó como lo hacen los borrachos: una mitad en nada. Llegó el cantinero. Era inquietante. Le temblaban las manos. Lo que sea.

—¿Lo que sea? —preguntó.

—O lo que usted quiera —le contestaron.

Gardea se postró otra vez sobre la mesa. Se incorporó. El cantinero era inquietante, había llenado la mesa de botellas. Las suficientes para que Gardea se sintiera un Axkaná con el demonio enfrente.

—Solamente vine a llorar. Lléveselas —dijo Gardea.

—Aquí cobramos, ¿sabe? —dijo el cantinero.

—Todo se cobra, sí —dijo Gardea.

—Algunas cosas no —dijo el cantinero.

—En el infierno ¿cobrarán? —preguntó Gardea.

—Y en el cielo —dijo el cantinero.

—¿Cuál de los dos será más caro? —indagó Gardea.

—Depende de la oferta y la demanda —dijo el otro.
—Siempre es igual —dijo Gardea.
—¿Qué va tomar? —presionó el cantinero.
—Algo de cielo, algo de infierno –dijo Gardea.
—¿Mitad y mitad? —inquirió aquél.
—No tiene que ser exacto —repuso Gardea.
—¿Ya va a llorar? —dijo el cantinero.
—Nada más que deje de temblar —observó Gardea.
—¿Usted o yo? Porque yo me tardo —dijo el otro.
—Me está encabronando —dijo Gardea.
—Ya estaría de Dios —contestó el cantinero.
—¿Es una frase o lo cree? —dijo Gardea.
—Siempre está de Dios —dijo el cantinero.
—Es un dios de pérdidas —dijo Gardea.
—Sí, nunca ha sido otra cosa —dijo el cantinero.
—Es un dios deforme —dijo Gardea.
—No, sólo es Dios —dijo el cantinero.
—Es un dios jodido —dijo Gardea.
—Quita para devolver —dijo el cantinero.
—No, sólo quita —dijo Gardea.
—Todo lo regresa —dijo el cantinero.
—Pero lo adultera, lo abarata —dijo Gardea.
—Nos educa a golpes —dijo el cantinero.
—Nos roba el hijo de puta —dijo Gardea.
—Recupera lo que es suyo —dijo el cantinero.
—Y antes lo mastica —dijo Gardea.
—Así alimenta —dijo el cantinero.
—Pitanza para dementes —dijo Gardea.
—Pitanza para nosotros —dijo el cantinero.
—¿Es todo lo que tiene? —dijo Gardea.

—Sí, lo que hay, nada más —dijo el cantinero.
—Nada más vine a llorar. Lléveselas —dijo Gardea.
—Ya hablamos del precio —dijo el cantinero.
—No me salga con banalidades —dijo Gardea.
—Se lo anticipé: aquí cobramos —dijo el cantinero.
—¿Cómo su dios? —ironizó Gardea.
—¿Le acaban de cobrar? —preguntó el cantinero.
—En singular, por favor —dijo Gardea.
—Tantum in te est Deus —recordó aquél.
—Su árabe es extraño —dijo Gardea.
—No, es español de antes —dijo el cantinero.
—Su dios, ese déspota senil —dijo Gardea.
—Puso en su lugar las estrellas —dijo el cantinero.
—Y devoró, ¡gulp!, a sus hijos —dijo Gardea.
—Y fuera de ti no hay Dios según el libro —dijo el cantinero.
—Hay tantas cosas que no creo —dijo Gardea.
—Yo el Señor y no hay otro —dijo el cantinero.
—¿Será? —dijo Gardea.
—¿A qué horas va a llorar? —inquirió el cantinero.
—¿Se acuerda del Ajusco? —preguntó Gardea.
—Casi no salgo de aquí —dijo el cantinero.
—Ella le dice a él —dijo Gardea.
—Uno acaba viendo todo —dijo el cantinero.
—De todas las cosas la más varonil —dijo Gardea.
—¿Y qué dijo él? —preguntó el cantinero.
—Alguna insensatez —dijo Gardea.
—¿Y los volcanes? —indagó el cantinero.
—Prefería lo otro —dijo Gardea.
—¿Luz no? —demandó el cantinero.
—Así yo: igual —dijo Gardea.

—Nunca hay tanta similitud —dijo el cantinero.

—Yo fui el Ajusco de Adela —dijo Gardea.

—¿Es la de la pérdida? —solicitó el cantinero.

—Aún la traigo conmigo —dijo Gardea.

—¿Y usted fue? —avanzó el cantinero.

—La carne más viril que la tocó —dijo Gardea.

—¿Cómo la perdió? —preguntó el cantinero.

—Mala mierda yaveica —dijo Gardea.

—O mero azar —dijo el cantinero.

—¡Puta su azar! —dijo Gardea.

—Su lengua es un látigo —dijo el cantinero.

—¡Puta su látigo! —dijo Gardea.

Dio un manotazo sobre la mesa y tiró las botellas. El cantinero se hizo a un lado, una voz gritó en la esquina del antro, sonó un teléfono junto a la barra y un hombre se paró para descolgar la bocina en medio del estrépito de vidrios rotos y líquidos volcados. Zumbó el figón. Gracias al golpe Gardea aclaró lo que veía.

Quiso incorporarse sin lograrlo. Cayó sobre la silla y el cantinero se acercó con precaución. Temblaba más que antes pero fue enérgico.

—¡Óigame, grandísimo pendejo! —exclamó—, ¿qué demonios le pasa, beodo infeliz?

Gardea levantó la vista mansamente. Entonces rompió a llorar, «oh, querida», como si tuviera el alma rota, como si su llanto fuera también un aullido. El cantinero regresó hasta la barra. Él escondió la cabeza bajo los brazos, soltó el resto del cuerpo y el llanto se lo llevó.

XXI

Desde el día de la contienda con Carmen, el general Berriozábal empezó a morir. En su vida el descuido fue una constante. Por dicha razón tenía en su cuenta batallas perdidas. Algunas por culpa de esa serpiente que sus contemporáneos llamaban política. Puros hombres serios llenos de normatividades sus contemporáneos, de frases estentóreas, de ceniza en la solapa. Con espejuelos verdes y pistolones, de monóculo o sombrero, creyendo que los grandes gestos eran parte del clima, haciéndolos y contándolos, como si el alma del país estuviera en esos visajes donde a veces se enroscaba la acción. Mucha había tenido Artemio Berriozábal, cadete heroico, general regular. «La guerra no consiste en un número infinito de pequeños acontecimientos sino que es un acontecimiento separado, grande, decisivo». ¿Von Clausewitz? Sí. El general Berriozábal en ocasiones recordaba la energía del alférez Ibáñez repitiendo las lecciones clásicas. «Dígame, cadete, ¿el tiempo ejerce influencia decisiva o esto sólo ocurre cuando hay neblina?» La clase quedaba paralizada: ignorancia plena. Alguno diría que el tiempo es una garantía dudosa, aquel que la voluntad de los héroes rebasaba los obstáculos de la naturaleza, otro que la moral enhiesta era la mejor de las estrategias, uno más que los guerreros avanzan aunque solamente los cubra un gabán. No, señores, enfatizaba el instructor calvo, moreno, prusiano, la guerra es una de las altas artes y la precisión es su envoltura. Abramos nuestro Von Clausewitz en la página 126 y leamos a coro: «Las circunstancias que acompañan el empleo de los medios de la estrategia son la región y el terreno, incluyendo el primero el territorio y los habitantes del teatro total de la guerra; luego, la hora del día y la época del año y, por último, el tiempo, particularmente en sus estados menos comunes, heladas rigurosas o etcétera». La última palabra sonaba como un traste roto y los jóvenes gallardos se ponían de pie, un taconazo, la despedida a coro y el alférez Ibáñez recomendaba lo de todos los días: su Von Clausewitz bajo el sobaco, señores, a ver si por ósmosis. Después entraría el artillero López, empeñado en que la parábola es la trayectoria del espíritu y las balas de cañón los gargajos de un dios peleonero. «Pero adelántese, ¿cómo destruye una fortificación si el pulso le tiembla al escribir una fórmula? Los jefes nunca dudan, aunque den en el blanco equivocado». O el teniente Vossler, enamorado del cuerpo, esteta de efectos, telas y poses. «Se joden, señores, de aquí saldrán con grasa en sus mentes pero nunca en el vientre». Sin camisa, le decía a su preferencia del momento, y pasaba sus dedos por el borde de los músculos de cobre que cualquier cadete debía exhibir para que el terso bigotillo del oficial temblara de deleite. Aquí no hay señoritas y en la noche lo espero para trabajar esos pectorales, cadete. A sus órdenes, oficial, pero no a sus deseos, aunque alguno no confesara hasta dónde llegaba el teniente para esculpir esos cuerpos que revisaba como si fueran suyos, chaparros fuertes, morenos cabrones. ¿Oyeron todos? ¿Sí? Aquí los indios se hacen blancos, aquí los mayates vuelan, aquí le levantamos el pito a la desdicha. También a usted, cadete Berriozábal, en la noche para que trabajemos su estúpida risita. Uno, diez, cien, hasta que reviente. ¿Ve el sudor, lo huele? Puedo perdonarlo si me lo concede, si me deja chupar esa agua maloliente. Entonces siga, hay otros que sí agradecerán mi perdón. O también el coronel Abitia, jinete mongol, centauro tuerto, capaz de tomar por asalto el cielo desde un caballo, como recogía la mierda seca en los picaderos y la desmenuzaba para decir que ni las vírgenes hacían mierda más limpia, «rubia, muchachos, tabaco de conquistadores», porque somos uno con la bestia, quien no lo entienda que jale yuntas y se vaya de aquí.

Berriozábal había ido con toda su promoción a servir en regimientos donde la mano del Caudillo era impune: daba lo mismo cualquier lugar porque en todo el país así ocurría. La vida, o lo que él creía que debía denominarse tal, comenzó hasta más tarde, cuando la ambición metió su lengua pegajosa en sus orejas y se dio cuenta, Berriozábal vio que si otros iguales, menos que iguales, ¿por qué él no? A tantos vio trepar tan de pronto que parecía que trepar era la norma. De la fuerza a la política, las dos. «Mandar a uno es igual que mandar a muchos; la regla de oro es organización». ¿Y mandar a todos? Berriozábal hizo de la corte del hombre fuerte su campo de maniobras. Dos o tres motines aplastados le dieron fama de táctico sutil, dos o tres intrigas lo acercaron al amo. Planeó su matrimonio como la más próspera de las alianzas y apresó a su mujer entre cerrojos, «para que te hagas fina, señora», tan asustada como las hembras que parió, con el marido detrás de las babas de los de arriba, desconfiado de los de junto, durísimo con los de hasta allá. Lotería: jugó la traición y que se gana el premio. General Berriozábal, espadín al cinto y espejuelos sicóticos, las fuerzas armadas de esta nación premian su pundonor. La gloria tuvo sabor amargo, no alcanzaba a hincarle el diente cuando se evaporó. Otra traición, otro premiado y Berriozábal perdió. La rueda giró de nuevo y hubo que largarse apenas a tiempo. Con los oropeles arrastrando y rápido: los dueños recientes pueden decidir que siempre no.

Pero en un buque carbonero dejaron salir al mestizo colado en el festín. Se marchó con todo: las mujeres, las sirvientas, el servicio de porcelana y un yerno taciturno.

¡Ah, cómo pasa el pasado!, dijo Berriozábal bajito, mirando a la pared, y daba lo mismo porque así inició su agonía. La muerte es blanca, eso pensó. Es decir: no tiene color porque no es nada. Pero ¿debe pensarse cuando se muere? ¿Es la ocasión en que todas las preguntas se contestan? A lo mejor no, aunque la muerte es blanca, volvió a pensar Berriozábal.

Esa tarde la casa estaba vacía. Ni la esposa, ni las hijas ni las criadas. Parecían huirle a aquel anciano moribundo. Mala muerte la del hombre. «Lo más probable es que siempre acabemos yendo a parar al lugar donde no queríamos ir; y haciendo lo que no nos gusta hacer, viviendo y muriendo de modo muy distinto al que querríamos, sin esperanza en ningún tipo de compensación». La frase era propiedad de un francés radicado en Adén a mediados de enero de 1855. Berriozábal la robó tiempo atrás de algún texto. Hombre de gestos, alguna vez calculó su muerte. Pero ahora se le salía del bolsillo. Actuaba por su cuenta, imperativa. La frase era un lastre, se le atoraba en la boca ¿Para su mujer? ¿Para quién? Ni tiempo de decírsela a nadie. Y con ella regurgitando, entre sofocos y vómitos, se murió el militar. Sí, la muerte es blanca.

Un grupo de viejos despidió a Berriozábal. Sus mujeres en primera fila, asustadas de que el dueño de los sustos se hubiese marchado. Carmen con ellas y Elías Molinero retardado, distante. Envuelto en su tumba viendo la del General, envuelto por las notas agudas de un trompeta distraído, envuelto por las miradas de un serrallo sin propietario. «Elías, contamos con usted», dijo la viuda. «Como siempre, señora. Aquí estaré», contestó el insanguíneo, pensando ya cuándo, cómo salir.

Lo hizo muy pronto, antes de terminar la primera novena por el alma del difunto. Una noche no asistió al rosario, la viuda se inquietó un poco y Carmen no contestó a sus preguntas. Se habían perdido ya lo suficiente para que el uno conociera del otro. Ya vendrá. Nunca volvieron a saber de él, como si la muerte fuera doble y de un tajo cegara a dos. Carmen entonces comenzó a vivir la transparencia del cristal.

XXII

El Halcón abrió la portezuela para que Jacobo se bajara del auto. Estaban estacionados en una callejuela lateral sombreada por arbolillos, pequeños troenos en floración.

—Así huele el rinconcito de las hembras que se lavan con cuidado —dijo el Halcón—. Te han de gustar, ¿no, Barrabás? Yo prefiero algo más sudoriento, pero da igual.

—¿Adónde vamos? —preguntó Jacobo una vez más, sin responder al juego olfativo del otro.

—Vamos a buscar lo que quiere el patrón —dijo el Halcón.

La calle estaba vacía. Esa parte de la ciudad nunca dejaba ver a casi nadie deambulando. Por allí vivía puro rico en su estrecho limbo personal.

Se pararon junto a una barda baja llena de hiedra.

—¿Y qué nos mandó a buscar? —inquirió Jacobo.

—Nunca se sabe, Barrabás. Es impreciso —contestó el Halcón–. Párate allá. Que no parezca que vienes conmigo.

—¿Para qué me bajaste, eh? —reclamó Cartola, y se alejó unos pasos. El Halcón jaló el llamador y se escuchó el estrépito de una campana.

—Buenas tardes —dijo—. Vengo de parte de un hombre muy poderoso que quiere pedirles un favor.

—No hay nadie —respondió una voz amurallada por la puerta de madera.

—¿Nadie? —repitió el Halcón.

—Sólo estoy yo, pero ya me voy —repuso la voz.

—¿Va a salir? —preguntó aquél.

—No, pero ya me voy —dijo la voz.

—¿A qué hora regresa alguien? —insistió.

—¿Quién? —aclaró la voz.

—A quien pueda pedirle el favor —dijo.

—¿En esta casa? A nadie, definitivamente a nadie —explicó la voz—, todos están yéndose.

—¿Y en lo que se van? —porfió el Halcón.

—En lo que se van nada más se fijan en eso —dijo la voz.

Jacobo escuchaba el diálogo sin intervenir, parado sobre un solo pie, y a la distancia según le había indicado su captor. En ese momento volvió a pensar que debía irse. Inaccesible a los sinsabores, como los órficos, recomendó Gardea alguna vez. Así tendría que esfumarse. Mercurio sería visible los primeros cinco días del mes a la manera de astro matutino sobre el oriente antes del alba. Venus permanecería oculto por el brillo solar. Marte y la Luna se conjugarían con Pólux el día 28. El disco lunar pasaría cerca de Júpiter y Spica en las noches del 6 al 8 y Saturno sería visto como lucero del amanecer. ¿Por qué, entonces, no largarse de una vez? Ya me voy, y se acabó.

El dubitante cambió de pie.

Recordó por eso haber contemplado alguna vez un triángulo de estrellas dirigido al costado de la luna. La atmósfera era transparente y la frase del poeta se imponía: titilaban azules los astros a lo lejos. La luna, además, brillaba en un cielo frío. Esa misma noche un horóscopo predijo alguna jornada especial: Lorelei y Casiopea, dos astrólogas muy acreditadas, habían consultado las cartas, la bola de cristal, la tinta negra, el huevo roto, y Dios mediante anticipaban fortuna. Entonces también había pensado en irse, en marcharse a otro lugar.

Un vehículo estremeció el silencio de la callejuela. El raptado se dijo: es ahora. Una parte de él resolvió ponerse en movimiento, aunque otra quedó anclada, fija en su indecisión. «Como pensador orate, cabrón». Frase de Gardea para Cartola, el Hamlet de Contabilidad.

—¿A poco no, Esmeralda? —preguntó Gardea con la complicidad de Valdés. Risas, manoteos, celebraciones.

—Ay, señor Cartola, qué feo le dicen. Defiéndase —opinó la mujer, reprimiendo una carcajada.

—Hacer o no hacer, he allí su dilema —punzó Valdés.

—Pagar o no pagar —gritó Esmeralda, y Jacobo observó sarro entre sus dientes.

—No, mi alma: coger o no coger —remató Gardea, y él mismo, Valdés y Esmeralda festejaron ruidosamente otra vez.

—Simios —dijo Jacobo en voz alta, sin notar que el Halcón estaba a su lado.

—Para nada, Barrabás, sólo gente que se está yendo.

—No me refiero a ellos. Me acordaba de otras personas.

—Van a abrir. Quien me atendió fue por la llave.

—¿Te voy a esperar aquí?

—¿En dónde más? Si te ven se espantan.

—¿Y si me voy?

—Si te vas, te pierdes todavía más. ¿Eh, Barrabás?

El Halcón volvió hasta la puerta entornada. Un anciano cabezón los miraba desde el quicio con curiosidad. «Anda buscando una dirección», dijo, y señaló a Cartola. «De repente viene por aquí gente estrafalaria», contestó el anciano, dejándolo pasar. La puerta quedó cerrada detrás de ellos.

Jacobo recordó que aquella noche las dudas se despejaron. El horóscopo de las astrólogas era irreprochable de tan claro: «Si su nombre empieza con una consonante y su apellido también, este día es el momento que el destino reserva para usted. Antes de las doce las vulvas de lo ignoto quedarán abiertas para que vaya al Norte, donde se confiesan las acciones, y salga del Sur, donde el viento es un factor sombrío».

Cartola determinó ponerse en movimiento. «Mejor no», pensó. Luego decidió moverse. Algo se lo impidió. Volvió mentalmente a intentarlo: no pudo. Como si fuera un esenio, es decir, un cristiano, y como tal no se moviera: ¿amar al Cristo crucificado o mejor decir que no, que tal figura doliente para nada? Sin sentirlo, sacó del bolsillo un chocolate. Desenvolvió su inesperado regalo y no supo cómo había llegado. Además encontró un papel en su bolsa trasera. Lo desdobló y leyó:

EL SENTIMIENTO ES UNA MENTE
QUE SE METE A UN CUERPO.

Sin firma, arrugado, impreso en un cuadrito de papel zarco.

Caviló mucho hasta que descifró su procedencia. Pero no, imposible, de allí no: los recuerdos son imaginarios. Cartola masticó su chocolate y caviló: más bien, no sabía. Desde su extravío todo se le escapaba entre volutas tan largas cual serpentinas. Iba a litigar de nuevo la remolona disyuntiva me voy o me quedo cuando salió el Halcón de la casa.

—Gracias —dijo hacia el hueco de la puerta, del cual avanzó hasta tomar a Cartola del brazo—. Vámonos ya.

—¿Les hicieron el favor? —preguntó al seguirlo al coche.

—¿Qué favor? —aclaró el otro.

—El del hombre poderoso —dijo Cartola.

—Es un decir —sostuvo el otro.

—Decir qué —insistió el extraviado.

—Para que te hagan el favor —explicó el Halcón.

—¿Y se los hicieron? —repitió mientras se abría la portezuela.

—A ver qué opina el patrón —dijo el Halcón.

Arriba del coche Cartola desdobló el papelito zarco. «El sentimiento es una mente que se mete a un cuerpo», leyó en voz alta, escudriñando la reacción del guardaespaldas. Éste no la tuvo. Iba reconcentrado.

—Qué difícil saber cuándo alguien te hace un favor, ¿no, Barrabás? —dijo de pronto.

—Pero te lo dirá tu patrón —contestó Cartola.

—Respeto, más respeto. No me gusta cómo acentúas la o —dijo el Halcón, con un golpe sobre el volante—. Desde que te alcé te empeñas en chingarme. Olvidadizo pero cabrón, ¿no? Chingón, chingón el señor. A ver: ¿cómo te llamas, ojete? ¿Cómo te llamas?

—No me gusta el tono —dijo Cartola con la boca seca.

—No me gustas tú, hijo de puta. ¿A qué hora contestas? —apretó el Halcón.

—Jacobo Cartola.

—Jacobo Cartola Barrabás.

—Quítale el final.

—Le pongo lo que se me hinche.

—. . .

—Barrabás Cartola Jacobo. Le voy a decir al patrón.

El Halcón hizo girar el coche como peonza. «!11 piñata girasol!» El insultado no supo por qué la frase era el centro de los giros, pero resistió en el asiento a la ira y a la velocidad.

XXIII

Adela odebeció a Vasconcelos sin entender la razón. La obediencia ofrendaba algo diferente. «Tú habías sido otra cuestión, ¿no? Sí, pero no me importa. Cuéntale a los otros, a mí no. Entiéndeme. Una se plantea tantas situaciones. Todo me parece poco, aunque haya veces que las cosas se suben a la barda. Una reducción. ¿Sabes todo lo que viví? El otro día, tantas cosas».

El Halcón amabilísimo: señor, señorita. Vasconcelos dijo «Adela» mal respirado, como si la otra se fuera. «Sólo con tus ayudantes», dijo ella. «No», contestó él, dispuesto a estar con esa mujer, lo que dijera, lo que trajera encima. «Me cuidan para cuidarte». «Ja». «Lo que me pidas», dijo él. «¿Y pedir modifica?», preguntó ella. «Sigues siendo tan sentimental, mujer», dijo él.

Adela se recostó en el asiento imitación terciopelo del automóvil. Inclinó la cabeza y pensó en el hombre que le hacía el amor a saltos: uf.

—Pon a Toquiño —ordenó Vasconcelos.

—Nos vamos a deprimir, señor —dijo el Halcón.

—Mujeres de Atenas, entonces —dijo Vasconcelos.

—¿Qué hiciste todo este tiempo? —preguntó Vasconcelos—. ¿Dónde estuviste?

—Conocí a un hombre —respondió Adela.

—Ya conoces suficientes —dijo él.

—¿Tú llevas la cuenta? —dijo ella.

—Sí, cuento todo —dijo él.

—¿Cómo qué? ¿Atropellos, persecuciones? —dijo ella.

—Soy tu protector —dijo él—. Soy Mika'il, tengo un millón de rostros y en cada rostro un millón de ojos que vierten setenta mil lágrimas. Tengo un millón de lenguas: cada una habla un millón de idiomas.

—Sí, no hay otro Vasconcelos que Vasconcelos y el Halcón es su guardaespaldas. Ya sé —dijo ella.

—Más que eso, señorita —terció el Halcón.

—Tú no intervengas —dijo Vasconcelos.

—¿Adónde vamos Mika'il Vasconcelos? —preguntó Adela.

—Sólo Dios manda, según Santa Teresa —dijo él.

—¿Otra vez andas de santo? —dijo ella.

—Mi cama tiene cuatro esquinas, junto a mi cabeza hay cuatro ángeles, Mateo, Marcos, Lucas y Juan, bendita sea la cama en que duermo —dijo él.

—No voy a estar en ella —dijo Adela.

—Siempre he creído que cada mujer es un destino —dijo Vasconcelos.

Adela no contestó. Prefirió hurgar en su bolsa, pequeña y rectangular, con una burda cadena de bisutería dorada que le cruzaba en medio de los pechos. Hacia ellos fue Vasconcelos, que apretó con la mano aún más cuando sintió la carne tibia bajo el vestido. Adela gritó antes de que un revés la lanzara contra el vidrio.

—Que aprenda, patrón —exhortó el Halcón.

—Tú no intervengas —ordenó Vasconcelos—. Sí, cada mujer es un camino, un modo de vida.

Adela tocó con cuidado su mejilla enrojecida. El coche rodaba silencioso. Vasconcelos se veía pensativo, como si el golpe y la dura caricia hubieran liberado una rabia limitada. Había terminado ya la canción que Vasconcelos eligiera y el Halcón aún no ofrecía otra. Un gesto del patrón lo contuvo: mejor el silencio.

—Todo el tiempo me pregunto qué hacer contigo. No te dejas querer, no te dejas cuidar. Te escapas como perra en celo cuando me descuido y entregas el cuerpo en la primera puerta que se te abre. Te elegí para que me acompañes en mi tarea, pero la calle te llama como a cualquier puta encallecida —dijo Vasconcelos, con la voz lúgubre que Adela aprendió a temer. Su mano cayó pesada sobre el muslo joven de la mujer. La cerró sobre él. Después la metió hasta la delgada tela del calzón que cubría el pubis. Un brusco jalón arrancó otro grito en ella—. ¿Así te hacían, así te mancillaban? —vociferó Vasconcelos, mientras maltrataba su sexo—. Soy Mika'il —dijo con voz descompuesta—, tengo un millón de vergas y cada una será para mi mujerzuela. Tengo un millón de lenguas y con todas te lameré el ano. Tengo un millón de perros y haré que forniques con cada uno. Tengo un millón de ratas para que te penetren con el hocico. ¿Quieres coitos, puta? Los tendrás hasta que no sepas de ti.

Vasconcelos ofendía a Adela y el Halcón se excitaba. No estaba entre las ratas, los perros o las lenguas que el otro enumeraba, pero el sexo con dolor le significaba un placer refinado. El Halcón dispuso su mano derecha para acariciar el bulto que la erección incipiente le ofrecía, hasta que un rápido espasmo anunció su término. Atrás la tormenta estaba sosegada. Los tres, Adela que lloraba en silencio, Vasconcelos con los ojos cerrados, el Halcón jadeante y con su esperma amarillento entre la tela y la piel fofa, sabían que continuaba la esquina de las lapidaciones. «Quiero ser la rata del patrón», deseó uno de ellos. «Quiero estar lejos de aquí», rogó ella. «Todo está dicho», aceptó para sí el otro de los tres.

—¿Escuchaste bien, Adela? —preguntó Vasconcelos usando el tono de siempre—. Te escogí para que me acompañes en mi tarea. Nunca te lo había dicho, ¿verdad? Te puedo dar lo que nadie podría darte, lo que nadie querría darte. Pero eres puta, mi pobre Herodías, y en el fango es donde debes revolcarte.

Un beso sobre su cabellera rubricó la declaración. Llegaron a su destino. La casona entre el pinar mostraba algunas luces. «Ve a la habitación de siempre», dijo Vasconcelos a la joven, indicándole la puerta abierta por un hombre de corbata floreada. «Descansa», dijo con un tono que podía ser cortés. La miró entrar y se volvió al Halcón. Algunas instrucciones dadas hicieron asentir a éste, que regresó al auto y lo condujo a la cochera. Vasconcelos entró después.

Aunque llegó sola hasta la habitación, los ojos de quien abrió la puerta no se despegaron de Adela mientras no estuvo entre los cuatro muros donde Vasconcelos tantas veces la poseyera. Era una estancia desnuda, pintada de un amarillo pálido, sin ventanas pero con un tragaluz que esa noche dejaba entrar un rayo diagonal de luna. Adela no prendió la luz y se tendió en la ancha cama que allí había. Otra vez en ella, las primeras veces para un hombre considerado que la acariciaba meticulosamente, donde las caricias un día resultaron coros de íncubos carcajeantes, navajas rasurando mil veces una piel abierta a contrapelo. Otra vez.

Adela soñó por Gardea. Una noche éste le había contado una historia. Retocada por su propio sueño así la soñó:

«A la vuelta de mi casa vivía un mono. Su dueña era una anciana sucia. El mono habitaba una casita sobre las ramas de una jacaranda. Aunque estaba encadenado, la larga cadena le permitía volar de rama en rama. Su dueña lo golpeaba con una pértiga que podía llegar a cualquier rincón del follaje. ¡Mono!, gritaba cuando lograba alcanzarlo. El animal chillaba y la vieja reía tanto que se sofocaba y dejaba la pértiga para apoyarse en el tronco del árbol. El mono se burlaba entonces. Gritaba como endemoniado y hacía piruetas cada vez más cercanas a la vieja, hasta que ésta se retiraba a la casa ruinosa que la jacaranda cubría con sus hojas de encaje. Cuando cerraba la puerta el mono jalaba su cadena y con ella azotaba una pared cercana al gran árbol. La vieja salía después de un rato, tomaba la pértiga y todo volvía a comenzar. Mi madre no comprendía mi interés por asistir al extraño juego. Preguntaba siempre si me había entretenido observando esa guerra a la vuelta de la cuadra. Tantas veces le dije que sí que dejó de preguntármelo luego de un tiempo. ¡Mono!, ¡mono!: una noche empecé a oír el grito destemplado antes de doblar la esquina de la casa de la mujer. Los chillidos del animal eran más fuertes que de costumbre. Corrí porque supe que esa noche se libraba la batalla decisiva. Cuando alcancé a verlo, el mono quería desenredar la cadena que lo apresaba dejándolo a merced de la anciana. Ésta lo golpeaba a pequeños intervalos, bajando la pértiga luego de cada golpe y subiéndola sin descanso. De pronto se desplomó a los pies de la jacaranda. El mono consiguió librarse y bajó sigilosamente hasta casi tocarla. La vieja no se movía. El mono la observó un largo rato, hizo llegar hasta ella una parte de su delgada cadena, la pasó por debajo de su cuello, le dio un par de vueltas y fue tirando lentamente hasta que logró incorporar a la anciana y sostenerla contra el tronco. Subió algunas ramas para poder tirar con mayor apoyo. El cuerpo de la anciana quedó por fin colgando, a poco menos de un metro del suelo. El mono se sentó arriba de la rama donde la anciana pendía y se balanceó. Su cadena había perdido longitud al enredar a la vieja y ya no podía moverse más allá. "Yo respiro", fue lo único que pude decir a mi madre cuando sus ojos interrogantes me abrieron nuestra puerta. Porque pasé minutos eternos viendo el silencioso balanceo del mono y de su dueña me retrasaba más que ninguna otra noche. Los sueños están hechos de una sustancia inexacta porque el veneno es lo único que cura del veneno. Aquella madrugada llegaron a mí las pesadillas con las muecas del mono, la cara congestionada de la vieja y el péndulo incesante de una cadena justiciera. "Saber que cuanto pasa es bueno". De haber tenido a quien decírselo lo habría hecho para que esas letras se grabaran, con letras profundas, en la lápida de la tumba donde la anciana se pudriría. No había nadie en la casa de la jacaranda cuando me acerqué a ella al día siguiente. El animal y su dueña ya no estaban ahí. ¡Mono!, grité con furia ante la cadena que colgaba inmóvil. Ni siquiera el eco me respondió».

Una mano insistente regresó a Adela de ese sueño ajeno. Vasconcelos estaba en la habitación, inclinado sobre ella y reclamándola despierta. Salía apenas de un sueño doble: el tenido por otro.

—Gardea —dijo Adela somnolienta cuando vio una silueta delante.

—No —respondió Vasconcelos con desdén—. Soy yo, que para ti es demasiado. Déjame estar aquí.

Adela se movió hacia el otro extremo del lecho. Vasconcelos se recostó sin tocarla. Quería hacerlo pero temía el rechazo de la mujer, su desagrado.

—¿Quieres meterte a las cobijas? —preguntó en voz baja. No obtuvo respuesta. Adela dormía.

Vasconcelos sonrió con amargura y dijo: mi cama no tiene cuatro esquinas.

XXIV

Gardea resolvió que no podía llorar para siempre. El tiempo pasaba y él seguía acodado en la mesa, viudo de su pérdida, presa de la aflicción.

¡Cuánta miseria, corrido de toda querencia!, se dijo. Vio que continuaba sentado adentro de El Redondel. Volteó a la derecha y topó con la pared. Miró al frente y encontró a un hombre de cabello blanco. ¿El mesero? A saber. Gardea no recordaba al mesero. Olfateaba que había uno pero no recordaba cómo era: medio recuerdo. El hombre se acercó todavía más a la mesa. «¿Dígame?», preguntó Gardea, nervioso. «Dígame usted», ordenó el otro. «¿Dígame qué?», repuso Gardea. «Lo que desee», contestó. «Saber la hora», dijo después de un momento de duda. «Es temprano para todo», concluyó el mesero. Gardea se incorporó trabajosamente, arrojó dinero en la mesa y salió.

La calle se duplicaba después de una llovizna de madrugada. Gardea mentalizó un lugar común: comparó su llanto con la lluvia, aunque advirtió una diferencia: él mismo no se reflejaba en los charcos. Era uno y tan denso.

Caminó con rapidez por las calles mojadas. La borrachera había pasado con la ligereza de siempre, con la dureza de siempre. Se acercó a su casa. Entró.

Tal vez ya era hora del examen, beberse de golpe la candela de la situación. Es inevitable: todos los seres se encuentran alguna vez a la conciencia pero casi todos la dejan pasar de largo. Gardea caminó en círculos por ese sitio atrofiado, lleno de cosas, que componía su hogar. Resultaba difícil entre tantos restos y cachivaches. Por eso pateó los objetos hasta abrir un espacio suficiente. Allí cabía con su pena. A ver entonces, a revisar su vida.

Con las tarjetas resultaba más sencillo. Gardea escribía al azar una palabra, y si el tiempo era propicio la palabra lo conducía a momentos perdidos que así se recuperaban. Pero ahora requería un encuentro con el todo y no con alguna de sus partes. Se puso a bailar alrededor del hueco hecho en la estancia, pateando todavía algún objeto que se interpusiera mientras ampliaba sus giros, cada vez más veloces. En uno de ellos extendió los brazos para darle otra cadencia a sus movimientos circulares. Siguió por un largo rato hasta que se desplomó, mareado, sobre un montón de objetos apilados desde la llegada de Adela. El estrépito del desplome no conmovió al caído. La danza lo llevó a un sopor definitivo en cuanto se dio la vuelta para no quedar bocabajo.

Si en la inconciencia se dio o no ese examen panorámico, Gardea no lo supo. Cuando despertó sólo conservaba una resaca onírica: sueños disueltos en tribulaciones, cierta desazón, la certeza de que anduviera a salto de mortificaciones.

Tenía el cuerpo adolorido por los punzantes objetos sobre los que yació durante la mañana, pero sentía la conciencia aplacada. Vio que la luz entraba en diagonal y reconoció que era ya casi el crepúsculo. El teléfono sonó con un ruido apagado. Estaba debajo de un cúmulo de ropa y Gardea se tardó en encontrarlo. La voz aguda de Amparo vibró en su oído. Después de tres apelaciones decidió contestarle fingiendo la voz.

—¿Sí, dígame? —repuso, con un acento que simulaba un tono feminoide y extranjero.

—¿Hablo a la casa del señor Gardea? ¿Se encuentra él?

—En estos momentos, no. Más tarde seguramente sí.

—Dígale que hablamos de Representaciones Fantásticas Ruano, de su trabajo. Que si no se presentaba hoy perdía su puesto. Ya son más de las seis y no lo hizo. Hablamos para avisarle que está despedido.

Gardea se quedó inmóvil con la bocina en la mano, después de que Amparo cortó la comunicación. El trabajo siempre fue un problema que de pronto terminaba. ¿Ahorros? No tenía nada parecido. ¿Protección? Su precario techo, siempre agobiado por la avaricia del casero. La pobreza no le era extraña y le temía. Aunque el anuncio le pareció una conclusión menor de la pérdida grande: lo pequeño acompaña a lo que no tiene mesura. Adela, suspiró Gardea, y colgó el teléfono.

XXV

Cuando finalizó el novenario del luto riguroso, Carmen olvidó la suerte de Elías Molinero. No le hacía falta en una vida que trazaba sus días como inapelables. Su cuerpo era un objeto indómito con voluntad propia, mientras la madre y las hermanas se marchitaban bajo la intemperie que la muerte del patriarca hiciera entrar a todos los rincones de la casa de la Rue Molière. En cambio, Carmen prosperaba en su libertad. La madre sufría la desaparición del varón, «único en casa de mujeres», atisbaba temerosa por las ventanas, creía que los enemigos del marido llegarían a cobrar cuentas pendientes, malsoñaba que algún maleante asaltaría su indefenso gineceo, que las sirvientas envenenarían la leche o que el gato devoraría al perico veracruzano ahora mudo en el corredor. Entre esos miedos que le eran ajenos, Carmen vagaba por las riberas de una ciudad donde sus pecados se cumplían en el secreto. «¿Qué es de ti, hija?», clamaba la madre cada noche y cada mañana, para que Carmen sonriera desdeñosa. Lenguas prevaricadoras facilitaban a la viuda Berriozábal detalles de las andanzas de la hija: vestíbulos de hoteles de mal nombre, mesas de cantinas indecentes, paseos con chulos y vividores, arrumacos con mujeres de pésima reputación.

«Vivo. Sólo eso», contestó Carmen a las preguntas de la viuda acongojada, cuando ésta avisó que la familia regresaba a su país.

—Recibí una carta de Elías —dijo la madre, creyendo que repetía la calma del marido, sin conseguirlo, cuando anunciaba algo inapelable.

—¿Te escribió a ti? —preguntó Carmen, burlona.

La carta decía así:

«Señora: mi piedad hacia usted es infinita. Me fui porque me ocurría algo incómodo. Resulta que me enamoré de una mujer que no me gustaba: su hija Carmen. Me marché entonces a un puerto en el Golfo de Cádiz. Regreso al país. Si puedo hacer algo por usted, considéreme su seguro servidor». Rúbrica.

—Es de circunstancias —dijo Carmen.

—Era un buen hombre —comentó la viuda.

A jalones logró la anciana sacar a la hija de París.

Había descubierto a un grupo que frecuentaba mucho por entonces. Eran absorbentes porque actuaban en el clandestinaje y Carmen llegó a desaparecer por dos o tres días. Cuando volvía a casa era otra. Lo que la madre vio se le figuraba un abismo: por él se derrumbaban su hija y los Berriozábal, pulverizados como salitre. Quién sabe de dónde sacó la fuerza para retener a esa mujer sobresaltada. Ayudó mucho la tristeza de ella, cada vez más profunda. El grupo la llevaba a extremos de alteración o de sombra y Carmen sentía ser de cristal. Su cofradía no era hamponesca, como juraba la viuda, dado lo poco que entendía el francés de sus informantes, sino mágica. Era la resaca tántrica que se quedara en los bajos y los altos escalones de la ciudad, la literal y envilecida lectura y puesta en práctica de textos ocultos, de viejos aparatos mentales. Un seudognosticismo mezclado con magia sexual de cultos oscuros y convocaciones diabólicas que extenuaban el cuerpo y marchitaban el alma de quienes los cumplían.

Esa feria de contramilagros le pesaba cada vez más duramente. Carmen participó en búsquedas de poder donde ella fue el tabernáculo hasta casi bestializarla, en rituales donde la razón se colapsaba. Una noche regresó a casa después de faltar varios días. Era la más prolongada de sus ausencias. Desde que la madre la vio entrar a la estancia supo que su expresión significaba el otro lado de todo. La intuición, único instrumento mental que poseía, le dijo lo que estaba pasando. No requirió aclaraciones, percibió con las entrañas el atrevimiento y la descomposición.

La reunión comenzó con un cuento. El hombre dominador del grupo abrió la noche empleando una historia que fascinó a Carmen.

«Hablemos de alfombras —comenzó diciendo—. Son una de las formas más antiguas de arte humano que se conoce. Ya hemos hablado de arte objetivo y subjetivo. He explicado que el verdadero arte no es circunstancial, espontáneo, inspirado. El arte de tejer alfombras es verdadero, nada en él se deja al azar, nada en él se descuida. En Asia siempre se tejieron en grupo. Todos los habitantes de una aldea trabajaban durante el invierno en una sola alfombra a la vez. Reunidos en una gran casa todos los niños, los adultos y los viejos se repartían en grupos de acuerdo a un orden establecido por una tradición milenaria. Cada grupo de aldeanos tenía un trabajo: unos limpiaban la lana de impurezas vegetales o minerales, otros la manipulaban para dejarla dúctil, otros más la peinaban, otros la teñían, los últimos la tejían. Desde su inicio hasta su fin el trabajo era hecho entre música y cantos. Los tejedores bailaban mientras la alfombra recogía en su espíritu, en su diseño y en sus colores, la fuerza múltiple y única de toda la aldea laboriosa. Tales objetos se apreciaban mucho porque eran mágicos. Un sinfín de almas quedaban enredadas entre sus hilos. El movimiento se congelaba en dibujos que bien observados podían, a voluntad, reproducirse. No hay superchería, pues, en creer que algunas de tales piezas logran hacerse volar».

Después anunció confusamente que el rito mágico de esa noche sería celebrado encima de un ejemplar tejido de tal modo, pero con mucho más que música y cantos. El guía del grupo era un judío de pelos color azafrán que Carmen conoció en un sótano de la ribera del Sena. Arriba, en los pisos superiores, se había prestado a todo tipo de suertes físicas. Al principio cobraba por hacerlo pero después las practicaba con generosidad, dispuesta con mujeres y hombres que la requirieran. Su abandono llamó la atención en el entresuelo, lugar desde donde era gobernado el antro, y un día se le mandó llamar. El viejo amarillento la interrogó, Carmen contó una historia inverosímil y el hombre le propuso que sus dones los concentrara en empresas más eficaces. Desde entonces el sexo de Carmen se empleó en el sótano, a veces para solaz del judío y a veces para las prácticas que ciertas noches se realizaban.

Aquella vez se trató del cadáver de un hombre que los patibularios del viejo consiguieron. Su rostro estaba congestionado y tumefacto, tenía los ojos abiertos, un sucio sudario lo envolvía. Una alfombra de hilos púrpura se desenrolló y en sus cuatro esquinas fueron colocados cirios fúnebres de llama humeante. El cadáver se puso encima y el viejo se sentó a horcajadas sobre su pecho, viendo fijamente su cara desfigurada. «El cuerpo es el ataúd del alma encerrada en este mundo». Al decir la frase en voz tan alta y sonora el rostro del viejo cambió como si de pronto le hubiera sido puesta una máscara de animal. Recitando una salmodia que sonaba al modo de un penetrante silbido, el oficiante se balanceó sobre el cadáver. Su inclinación lo llevaba hasta casi rozar con sus labios los del muerto, luego se enderezaba y volvía a comenzar.

En un instante suspendió su vaivén. Apartó por entre sus piernas el sudario y quedó expuesta la desnudez del cadáver. Recomenzó sus movimientos y súbitamente el cadáver giró la cabeza. Fue el ruido de una puerta chirriante que se abrió a las sombrías maravillas de la noche. Los asistentes se acercaron hasta rodear la eucaristía satánica del judío. Éste se levantó para indicarle a Carmen que se tendiera sobre el cadáver. Alguien le sacó la delgada túnica que vestía y Carmen imitó la posición del otro, sentándose a horcajadas. Percibió que la piel del cadáver no estaba fría. El viejo exigió que lo cubriera con todo el cuerpo, que su sexo tocara al del muerto y que su boca llegara a la otra. La salmodia se repitió mientras ella simulaba los movimientos del coito. El coro de voces dijo: «Es la primera y la última. Es la honrada y la escarnecida. Es la puta y la santa. Es la esposa y la virgen. Es la madre y la hija. Es aquella cuya boda es grande y no ha tomado esposo. Es conocimiento e ignorancia. Es desvergonzada, está avergonzada. Es fuerza y es temor. Es necia y es sabia. Ella no tiene Dios y es una cuyo Dios es grande», y lanzó a la mujer hasta alguna parte que no radicaba en ella. «Transrealidad», explicaría el judío, y la mujer devoró la carne muerta con la boca de su vientre.

Carmen no volvió en sí hasta el amanecer, ya sin todo el calor de horas atrás. El grupo se había marchado, no estaban ni el cadáver ni la alfombra. Los cirios descansaban apagados en un rincón y desde el otro se oían salir los ronquidos estertóricos del judío. Despertó a un mundo donde detrás de la luz matutina colada por los ventanucos la esperaban fauces a punto de vomitar.

El médico de la familia diagnosticó melancolía profunda, recomendó un descanso bajo estricto régimen, un total alejamiento de lo mundano, plegarias constantes, un cordial por las mañanas y otro por las tardes, además ninguna perturbación, ningún empeño físico, ningún excitante sentimental. La viuda Berriozábal la arrastró al puerto y se embarcó con ella, las otras hijas, los restos de la servidumbre y lo que les quedaba del menaje de la mansión patronímica, en un barco que zarpó a México durante una mañana incolora que nunca tuvo el viático del sol.

XXVI

—Buenas tardes —dijo Ruano.

Vasconcelos estaba de espaldas y con un gesto indicó la silla.

—Buenas tardes –contestó volteando.

—Usted dirá, Ruano.

—Vengo a verlo por el dinero que me debe.

—No he pensado en eso.

—Yo lo hago todo el tiempo. O casi. Me enerva su deuda, señor Vasconcelos.

Ruano le dejó el apelativo respetuoso aunque el otro no lo empleara con él.

—Cada quien tiene sus propios intereses. El ser es egoísta, Ruano, calculador.

—No vengo a filosofar sino a cobrarle.

—¿Es el dinero mismo o su orgullo herido, eh?

—Algo de eso. Quiero recuperar lo que es mío.

—¿Siempre sabe lo que es suyo?

—Cuando menos sé lo que no es de los otros: el préstamo que le otorgué no es de usted.

—Sus verbos son pulcros: «otorgué». ¿Cree que las cosas nada más suceden, que usted las decide y así se hacen? Ese dinero podríamos abonárselo al destino, o a la suerte, o a una ley de compensaciones superiores que por ahora no podré explicarle.

—¿Cuándo me va a pagar, Vasconcelos?

—Hay quien dice que el acto de acechar, por su naturaleza, es secreto. Acécheme, Ruano, pero hágalo en secreto para que yo no me dé cuenta. Antes tal vez le habría pagado, ahora ya no.

—No quiero tener ningún problema con usted, solamente reclamo mi dinero. Sé que es una persona poderosa y respeto su influencia sobre muchos a la vez, el cómo los enferma. Vengo por justicia, nada más.

—Varios de los verdaderos secretos yacen en el cuerpo. Soy un político del espírtitu, Ruano. Acecho, me callo la boca y soy paciente, hasta el infinito. No le voy a pagar. Hablemos de otra cosa. Todo lo que llamamos causa, en otros es culpa. Entre ellos toda muerte es un asesinato y como tal debe ser vengada. Es llamativa tanta semejanza con el mundo paranoico.

—Usted es un deudor contumaz.

—No le debo nada a nadie, Ruano. Mis acreedores son dioses, espíritus malignos, árboles de arquitectura malvada, devas de alma rencorosa. Pero acláreme algo, ¿por qué dice que yo enfermo a muchas personas a la vez, cuando hago precisamente lo contrario? ¿Es una metáfora o lo repite porque lo escuchó por allí? La reputación, Ruano, es tan incontrolable como la aceptación. ¿Qué dicen de uno quienes creen definirnos a nosotros, esos que siempre somos otros para los otros? De mí hablan con ligereza alarmante, pero de los demás también. ¿De usted qué dicen, Ruano? ¿Un hombre serio que se construyó a sí mismo? ¿Un hombre adusto que no deja que su ceño traicione lo que siente? ¿Un hombre vertical, dedicado, aburrido? ¿Un hombre de trajes mal cortados y corbatas viejas? Dígame, Ruano, ¿qué murmuran de usted?

—No lo sé, poco me ha interesado la opinión de los otros acerca de mí. Pero para usted parece ser muy importante.

—*Touché.* No, Ruano, no. Soy un político, ya se lo dije, aunque mi reino es el corazón total de la materia. Rindo algunas deferencias, hay a quienes hago creer que su opinión me interesa, hay otros a quienes escucho con paciencia, pero estoy lejos de las mediocres preocupaciones. Así, ¿a quién puedo enfermar? Doy instrumentos para que la gente se recuerde a sí misma, creo campos de fuerza que la llevan a salir de sí, convoco a algunas reuniones que la exaltan y a veces promuevo otras debilidades en grupo. Pero nada más. Me he aficionado a tales distracciones, aunque no sean tan constantes como desearía. ¿Ha tratado de salir de sí, Ruano? ¿Conoce alguna técnica para ello? Mis ágapes podrían ofrecérsela.

—¿Allí me pagaría?

—Puede ser, si usted considera que una cosa se paga con la otra.

—La cosa sólo es una y se retribuye como es: mi dinero.

—Cuénteme de su negocio, Ruano. ¿Naufraga? ¿Lo que le debo es esencial para que siga existiendo? Representaciones Fantásticas es el nombre, ¿no? Está dicho todo: nombre es destino. Se afectó entonces y no después. Nada tengo yo que ver con sus problemas.

—«Fantásticas» alude al ramo que en la empresa cubre los desembolsos, pero eso no es de su incumbencia.

—Si lo quiere decir así. Yo leí libros desde joven y aposté por obtener ciertos dominios. Leí manuscritos peligrosos para la salud.

—¿Y enfermó?

—Estuve a punto. Pero algo me ayudó. Uno nunca sale por sí mismo, Ruano, como lo enseña la historia. Me ha quitado usted parte de la mañana y nuestras cuentas comienzan a aclararse. Me complacerá acompañarlo.

Dicho esto, Vasconcelos se paró con rapidez. En la puerta estaba ya la secretaria, algún botón habría pulsado su jefe. Éste dejó el despacho antes que el visitante e hizo un gesto de adiós con la mano por encima de la cabeza. Un cierto tufillo azufroso hizo reaccionar a aquél, pero cuando salió a la antesala el otro ya estaba encerrado en un salón con alguno de su lista de espera. La secretaria resguardaba la puerta y Ruano no tuvo ánimos para pelear. De pronto se sintió muy cansado, con ganas de sentarse en cualquier parte. Se dominó para salir y cruzó hacia la puerta.

XXVII

El enojo del Halcón era desmedido. Manejó dando volantazos por toda la subida. Su visita no parecía haber sido satisfactoria. Cartola no acababa de saberlo, inquieto por el inopinado estallido del otro. La violencia lo perturbaba en extremo. Nunca sabía hasta qué punto.

—Usted tiene cara de ser muy violento, señor Cartola —oyó que le volvía a decir Esmeralda.

—En absoluto —contestó Cartola con placidez.

—Bueno: fogoso, apasionado —insistió Esmeralda.

—Ya, Jacobo, saca al tigre —conminó Gardea. Valdés se dobló de risa. A ese ebrio todo le parecía inmensamente cómico.

—Sí, ya sáquelo —imitó Esmeralda, y los tres se dieron carcajeantes aletazos.

Así lo tocó el Halcón para bajar del auto. Allí seguían los pinos, la carretera arriba, los techos de teja y más coches que cuando salieran.

—Va a haber sesión —dijo el hombre, suavizado, sin el enojo de momentos atrás. Acompañó a Jacobo hasta el ala donde había dormido. Alrededor de las construcciones flotaba una neblina baja. La tarde caía antes de tiempo por esos climas oscuros que aparecen en los bosques sin el sol. El cuarto estaba frío y una bujía alumbraba la cabecera de la cama.

—No apagues la flama porque la necesitas prendida —le dijo el Halcón antes de cerrar la puerta con llave y marcharse. Cartola se sentó en la cama perdiéndose en su pensar.

Mucho más tarde escuchó pasos rápidos, otros autos que llegaban y risas lejanas. Tocaron a la puerta. Luego la abrieron. No era el Halcón sino el acompañante.

—Noches —dijo—. Que van a comenzar y ya lo requieren.

La tarde fría ahora era una noche despejada con luna visible, fina uña de un dedo. Caminaron hasta la casa grande y el ayudante se quedó en la entrada iluminada por bujías. Jacobo siguió por el pasillo y entró al salón.

Lo creyó lleno, más bien lo sintió, porque el ruido era considerable. Vio que estaban los mismos de la otra noche y unos cuantos más. De nuevo un círculo de sillas, más grande esta vez, los mismos cortinajes opulentos y el escenario en niveles más atrás. Encontró una silla sin ocupar y la reconoció como suya. Se sentó consideradamente, haciendo pequeñas inclinaciones a quienes estaban a su alrededor, los que hablaban a la vez, ¡bzz!, ¡bzz!, ¡bzz!

—La peripecia de hoy nos va a librar de la compasión por nosotros mismos —dijo uno de los presentes que llevaba un overol.

Un hombre de tirantes se carcajeó por lo bajo, mientras otro movía las manos con impaciencia. Todos parecían habituados a tales acontecimientos, pero a pesar de su naturalidad flotaba entre ellos una atmósfera que Jacobo definió en silencio como expectación. Del fondo del salón emergieron dos figuras: Vasconcelos y una mujer. Era Adela, y Cartola se deslumbró con su belleza. Él la llevaba tomada de la mano. Cartola recordó al verla una estampita infantil de aquella virgen que flotaba.

—Existen cinco cuerpos, y hoy sabremos de ellos —dijo Vasconcelos con los brazos en alto, después de haber sentado a Adela y avanzar hasta el centro del círculo—. Todos somos uno, ese es el principio. O todos somos nadie. No hay distancia entre nosotros y lo demás. Lo demás es todo, creemos que es lo de afuera pero el verdadero secreto es que resulta igual a lo que hay en el interior de cada uno: piedra, estrella, vegetal, persona o multitud. ¿Por qué utilizan los hombres los espejos, por qué la avasallante pulsión por verificarse? ¡Esta raza tiembla! Un sí mismo que sólo se aquieta cuando cree controlar el cómo lo ven los demás. Esta noche olvidaremos quiénes y qué son los otros, quiénes y qué somos nosotros. Aceptar que lo de adentro es lo de afuera es aceptar que no hay ninguna esencia individual. Y no la hay. Los opuestos son complementarios y no excluyentes. ¿Saben, amigos, por qué son tan infelices? El sabio pregunta: ¿por qué eres desdichado? Y contesta: porque el 99.9 por ciento de todo lo que piensas y de todo lo que haces es para ti mismo, y no hay uno, no hay yo, tampoco existe dicha hipótesis inútil.

Jacobo se removió incómodo en su asiento. Los asistentes bebían con devoción las palabras de Vasconcelos, que gesticulaba al hablar con voz tan opaca como variada. Pero él se sentía cada vez más inquieto. Una masa casi intangible parecía desprenderse de su cuerpo entero. La sensación de pesadez que lo iba dominando no escapó al interés de Vasconcelos, quien había notado el despliegue de la forma emanada.

—¡La brecha puede cerrarse! —exclamó Vasconcelos frente a Cartola—. Magna mater, madre de todos, uno de tus hijos te busca.

Lo tomó por el brazo izquierdo, una zona donde la masa emanante aparecía aún imprecisa, y lo incorporó. Cartola se sentía duplicado: también estaba en el ectoplasma que de él se desprendía.

—Es la sombra, déjela salir —le susurró Vasconcelos en tanto lo hacía girar con lentitud. Uno de los del círculo la vio de pronto. Se puso de pie, la señaló con el dedo y comenzó a hablar rápida, incomprensiblemente. Cartola tuvo una sensación doble: mientras caía se miraba subir pero también giraba. Entonces era triple y fue múltiple. El impulso hacia arriba resultó tan intenso que reunió a los otros. Ya no era el hombre que hablaba en lenguas o los blancos brazos de la mujer con sus mismos ojos. Tampoco la corriente sanguínea que lo cifraba en cada poro y lo llenaba de luminosidad apretada, difusa, lo convertía en un cadáver lleno de mundo porque moraba fuera de sí pero con toda la vida que nunca tuvo adentro, o el incendio que no era su cuerpo porque nada más existía ese fuego donde el cuerpo se ausentaba sin dejar de estar a la mano. Escalera al cielo y Cartola trepó con el gozo que puede ofrecer un camino conocido que se recorre solamente mirando. Aunque la acción de ver no entraba en los hábitos de siempre. ¿Quién veía? No era Cartola, porque Cartola ya no era. Su cuerpo, esa envoltura, quedó debajo, girando lentamente bajo la conducción de Vasconcelos, y cuando ascendía la razón no gobernaba el carro de fuego con el que surcaba un cielo inmaterial, tangible, ilimitado, sofocante, protector, indiferente. «Si esto es la muerte, bienvenida». No usó su lengua para decirlo. Su piel, quizá, o el pozo mismo por el cual subía hasta la luz, una espiral donde el movimiento resultaba inmóvil, donde era bañado por la luz antes de llegar a ella, donde la luz provenía del mismo ser que viajaba para alcanzarla. Cartola penetró a la eternidad y conoció lo que los místicos han dicho: no el tiempo perpetuo o inacabable es la eternidad, sino simplemente su abolición en el instante. Llegó al fin a la luz.

—Quien vive en el pasado vive extraviado en la culpa. Quien vive en el futuro vive perdido en la expectativa. ¡El presente del pasado o el presente del futuro! Falsos anhelos, mentirosas dicotomías. Ya lo sabe —dijo Vasconcelos, refiriéndose a él con su cuerpo desmadejado entre los brazos mientras el resto del público se ocupaba en conmoverse por el hecho.

—¿Me puedo ir? —preguntó un asistente, parándose con prisa.

—¿Hay adónde ir? —lo coscorroneó Vasconcelos, mandando que se sentara.

—No acabo de entender dónde está —dijo otro, con cautela.

Hizo un gesto de menosprecio para responderle.

—Escuchen todos —dijo Vasconcelos—. Éste es el sagrado evangelio de la noche: «¡He aquí la excelente estupidez del mundo: que cuando nos hallamos a mal con la fortuna —lo cual acontece con frecuencia por nuestra propia falta—, hacemos culpables de nuestras desgracias al sol, a la luna y a las estrellas; como si fuésemos villanos por necesidad, locos por compulsión celeste; pícaros, ladrones y traidores por el predominio de las esferas; beodos, embusteros y adúlteros por la obediencia forzosa al influjo planetario, y como si siempre que somos malvados fuese por empeño de la voluntad divina! ¡Admirable subterfugio del hombre putañero, cargar a cuenta de un astro su caprina condición! Mi padre se unió con mi madre bajo la cola del Dragón, y la Osa Mayor presidió mi nacimiento; de lo que se sigue que yo sea taimado y lujurioso. ¡Bah! Hubiera sido lo que soy, aunque la estrella más virginal hubiese parpadeado en el firmamento cuando me bastardearon». Swami Shakespeare, *El rey Lear,* acto I, escena II.

Fue hacia Adela, le acarició el rostro y regresó al centro.

—Vámonos ya —dijo con su voz de anunciador taurino—. No quiero estar cuando este hombre regrese.

XXVIII

«Tú, cuyos brazos han sabido cerrar el paso atroz de mi demencia». Carlos Vasconcelos cerró la libreta de piel negra donde anotó esa frase de un poeta enamorado, agradecido con la mujer que alguna vez le hizo creer que podía, sin más, seguir yendo hacia delante. Las mujeres: Vasconcelos sabía poco de las Anas Kareninas, aunque las requería siempre a su lado. Las veía, les rezaba, las tocaba, las maltrataba. Por esa zona de macho cabrío daba todos los brincos.

Fue líder sindical años atrás, entonces conoció esa delicia: manipular. Hacer largas geometrías, carambolas de tres bandas cada vez. Sus partes borradas, porque Vasconcelos trabajó el olvido. ¿Recordar? Ni lo de ayer. Pero estaban, a su pesar. Líder sindical. Una tarde, por ejemplo, había saltado a la palestra. Era un joven desgarbado, todavía inseguro. La boca se le secó en cuanto comenzó a hablar, nunca supo qué hacer con las manos, pero habló. Vio que todos lo veían y se mostró. Descubrió que el organismo era gobernado al azar y se hizo íntimo de esos carbonarios conjurados que hablaban sin parar. Era el reino del verbo sin medida.

«Es un arte», postulaban los retóricos de la organización, y las tardes y las noches eran nada entre el sudor de los que hablaban y el de los que escuchaban hablar. Vasconcelos se marchó algunos años más adelante, menos joven pero más diestro. Salió refinado, dispuesto a encararse con lo que viniera. Llevó su voluntad hasta extremos mecánicos, esforzadísimos. Se compuso una gimnasia de lo minúsculo, un yoga de los detalles, de la vida de siempre. No pisar rayas, no tirar nada, controlarlo todo, la mañana y la noche, al despertar, respirando. De tal modo Vasconcelos aprendió a verse: reducir la inexactitud, hasta el punto que dejó salir a su sombra y aprendió a emplearla. En cualquier contacto dos: Vasconcelos y Vasconcelos. El segundo no se mostraba porque su función era oprimir. O persuadir. Así conseguía su poder.

Necesitaba experiencias y formas para darle sentido a las atribuciones que iba ganando. Las encontró muy al extremo, en las selvas fronterizas del sur, donde se topó con una comuna entre religiosa, política y delincuencial. Vasconcelos había dejado a los carbonarios para ascender al porrismo escrito. Tuvo la cautela de usar seudónimo en sus abyectas columnas y se distinguió al aprender la técnica del chantaje, de los sucios favores. Trepó por la escalera sacrificial de piedra y trabajó alguna ocasión de espía en la jungla, región donde los poderes gubernamentales estaban puestos en jaque. Cuando llegó para infiltrarse vio otra cosa: una estructura anclada en tal lejanía que podía estar en cualquier parte. Grupos evangélicos habían fundado esas profundidades donde ahora un grupo armado predominaba. Encontró a un capitalino selvático comandante de una magra tropa de campesinos que entre arengas y ejercicios castrenses cultivaban unos tubérculos dulzones, esponjosos. La guerra nunca llegaba pero la tensión del puñado de reclutas parecía intacta: también era el reino del verbo, como la complaciente miseria de esos apóstoles periféricos, marginales, refundidos en el culo de un mundo que llegaba a ellos en susurros, en vagas versiones de lo real. «Las retaguardias de hoy ganarán el mañana». La frase colgaba, pintada en brochazos desiguales, del frontis de la cabaña principal donde los asuntos de la comuna se ventilaban.

«Los tiempos en la selva», se confesaría algunas ocasiones a sí mismo, saltándose entonces esa obligación autoimpuesta de no recordar nada. Los campesinos jugueteaban con las lecciones de los guías. «Lo inmutable es la mutación», gritaba un mocetón a otro, luego se perseguían salvando los muchos obstáculos que poblaban de vida la espera de los insurrectos en medio del claro abierto entre las ceibas catedralicias y los sonidos de la foresta. «El campo es el cinturón de las ciudades», voceaba un chiquillo que iba arreando un lechón desgañitado. «El amor es una degradación burguesa», escupía la catequista revolucionaria que Vasconcelos acosaba a la orilla de un riachuelo de aguas azules como acero, ligeras, conminándola para aceptar juntos el gozo epifánico de ese lugar.

Todo eso acabó cuando algunos miembros de la comuna atacaron a los vigías de una columna volante del ejército regular que se habían internado en sus terrenos. Los trofeos conquistados no se repartían aún y ya los militares cobraban el agravio. La acción fue tan desordenada como la selva misma: relámpagos verdes por allá, sombras que se deslizan entre risotadas, varas rotas. Uno de los campesinos se topó de bruces con un soldado raso que dormitaba al sol entre los manglares, con el rifle lejos, el cinturón suelto, la gorra de lado. Con frío temple le metió un tiro entre las cejas usando su mismo rifle y echó a correr. Los dos soldados del resto de la patrulla avanzaron hasta el punto del disparo y cayeron en los cepos que rodeaban el campamento. Con un rocío de balas mataron a uno y dejaron a otro creyéndolo muerto, quien más tarde se arrastró hasta donde vivaqueaba el grueso de la columna. Un capitán y treinta soldados desarmaron a toda la comuna sin gastar un tiro. Vasconcelos sacó sus credenciales y pudo explicarle al oficial qué hacía allí. La catequista lo miró con ojos furiosos cuando supo de su doble comisión. Ya habían retozado juntos y se sintió traicionada. Las Anas Kareninas.

Vasconcelos aprendió que de todo se aprende. De lo minúsculo y de lo humilde, de lo feo y granujiento, de lo desnudo, de lo canijo. Entendió que no tenía que voltear más que a él mismo. Y se llevó al comandante insurrecto con el señuelo de que lo entregaría a las altas autoridades. El capitán prefería regresar más ligero y lo cedió. «Aquí te cambias el nombre», le dijo una de las cuatro noches que tardaron en llegar a la ciudad. «Halcón», contestó el otro, más bien memorizador de la lírica proletaria. Su única diferencia soterrada fue por la mujer. Vasconcelos no quiso hacer nada para recuperarla. «Hay tantas». El otro guardó el agravio.

Las Anas Kareninas. Siempre sirvieron para blasonar lo que Vasconcelos adquiría. «Mi ojo y mi corazón a muerte están por cómo de tu vista el campo se reparte». Lo podía murmurar melosamente a la elegida, decirlo con voz de fauno, ronroneando como felino procaz. Cuando su sombra lo decía la voz era pegajosa, de pez transparente.

Era una madrugada fría y Vasconcelos cerró la libreta de piel donde anotaba máximas y sentencias. Sus cantos eran pálidamente rojos y el cuero iba resquebrajado en los bordes. Dormía poco desde años atrás porque el sueño no lo necesitaba.

XXIX

¡Tonta! ¡Te lo había dicho tantas veces! Cuando la luz toque tu sombra y el mundo emerja como una puerta desplomada. Tu cuerpo no tiene sombra y ¡putísima!

Gardea masculló esa frase cuando caminaba por la acera soleada de la mañana. Hablaba con Adela desde que la perdiera. A todas horas.

Al doblar la esquina se encontró a un conocido de tiempo atrás. Era un joven macilento con el rostro pigmentado por alguna sustancia de tono naranja. Así le decían donde Gardea lo frecuentara: uno de tantos clanes de barriada humilde. La calle bailaba la danza de Shiva Nataraja, cualquier cosa era movimiento y Gardea se mantenía en las densas corrientes que lo formaban. Tuvo que apartarse de ellas cuando el encuentro resultó inevitable.

—¿Y ése? —dijo el hombre de tez naranja, alargando el brazo al señalar a Gardea como una aparición—. ¿Adónde, ése? —preguntó con la misma mueca.

Gardea respondió con desgano: «Voy de prisa».

—Tengo, ése —insistió con su motecillo.

—Hace mucho que ya no —dijo Gardea, detenido del todo para irse de inmediato.

—Soy todo cuerpo y nada fuera de él, ¿eh? Es para eso.

—Que no, Naranjo. Ya no soy el de antes.

—Aquí, hombre. Uno rápido.

—¿Aquí?

—Es un decir, pero muy cerca.

—Voy al trabajo, Naranjo. Me acaban de correr.

—Entonces a qué vas, ése.

—¿Qué tan lejos?

—Diez minutos, a lo mucho.

—¿Y qué? Ya sé: puro adiestramiento, ¿no?

—Del sistémico, sí: empieza, sigue y termina.

—Y bien.

—Bien, sí.

—¿Caro?

—Barato, es para maestros del presente.

—Naranjo, me estás tentando. Ni diciéndolo todo ni callándolo todo. No.

—Gardea, me sorprendes. Es una oferta, una promoción. Y la dejas ir así.

—En mal momento llega, Naranjo. Ya va a ser mediodía.

—Por eso hay que apurarse, ése. Principio de incertidumbre, ¿verdad?

—¿Qué día es hoy?

—Martes, creo. Ha de ser martes.

—Mal día, es de hierro, tercero en la cuenta, dedicado a la guerra.

—Puede ser jueves, hombre. Da igual.

—¡Júpiter! No. ¿Y dónde es aquello?

—Detrás de Palacio, a unas cuadras.

—¿Por El Carmen?

—Eso mero, ése.

—A Nietzsche le gustaba Carmen.

—¿Qué no Lou Andreas?

—La ópera, Naranjo, la ópera.

—A saber, yo nunca he sido hispanófilo.

—Nosotros tampoco.

—¿Ustedes?

—Sí, Nietzsche y yo.

—Sólo te gusta andar con notables, ése.

—¿Quién, el Crucificado?

—No, el de Sils Maria.

—Son el mismo, Naranjo. Así firmó sus últimas cartas.

—Pues como él, entonces. No era gran cosa encontrarme, la dificultad ahora es perderme.

—Estoy a punto de ceder, Naranjo. Cántame una canción.

—¿Desde dónde, Gardea? ¿Quieres que se alegren los cielos, quieres transfigurarte, ése?

—Hoy al despertar vi una columna de humo. Sus espirales eran anillos grises, casi negros. Salían del sitio donde perdí a mi único bien.

—El mediodía va a cortarse las alas. Sígueme, pues.

—¿No hay modo de impedirlo?

—Te estoy diciendo cómo, te estoy ofreciendo con qué.

—¿Vas a detener el mediodía?

—No, tú lo harás con lo que yo te dé.

—Algo tan robusto, tan apasionado, de tanta gracia y tan meridional.

—Odio los adjetivos de magnitud, ése. Hacen la vida más triste.

—Sobre Carmen, Naranjo. Son elogios del Crucificado.

—Mira el sol, ése. Está deteniéndose.

—Mi amor buscó los huecos de mi corazón, Naranjo. Mi amor reparó la casa de mi soledad.

—Quédate con los saldos, Gardea: nunca hay más.

—¿De aquello?

—No, de lo que tuviste. De aquello sí hay. ¿Ya viste el sol?

—¿Quiere bajar y tocarme?

—Te está esperando, ése. Pero a la mejor nos desconoce si te tardas más.

—El Crucificado dijo: y contra todo ello, casi contra la vida y la muerte, me he compuesto ésta mi medicina, éstos mis pensamientos con sus pequeñas, pequeñas franjas de cielo despejado encima de mí.

—¿Ya ves, ése? Todos se medican, hasta Zaratustra.

—Él no cuenta, Naranjo. Nadie lo ha entendido aún.

—¿Y a quién sí, Gardea? No me digas que a ti.

—Empezábamos, ella y yo. ¿Dónde anda el sol?

—A punto de largarse, como tu servidor.

—El Crucificado dijo: para tu tranquilidad te diré de mí que mi estado es excelente, de una firmeza y paciencia como no las he tenido ni una hora durante toda mi vida anterior; que lo más pesado se me hace leve, y que se me logra todo lo que tomo entre mis manos.

—Parece que describía mi producto: excelencia, firmeza y levedad. Parto, ése. El sol ya se movió.

—Naranjo, después de esas líneas llegó el desplome.

—Era inevitable, Gardea. Siempre hay confesiones que son antesala de toda derrota, míranos aquí.

—El Crucificado dijo: renuncio gustosamente al resto de mis relaciones con los hombres; por ningún precio, en cambio, quisiera borrar de mi vida los días de Tribschen. Días de confianza, de alegría, de azares sublimes, de momentos profundos.

—Se nubla el día, ése. Y tú petrificado.

—¿No será miércoles hoy? Soy caballo, Mercurio, doble Géminis y mi color es equivalente al número nueve.

—A veces me siento delante de un espejo y me acuerdo de mi tierra. Entonces echo mano de mi medicina, ¿no?

—Sí es miércoles. Huelo en el aire que mi fortuna volverá. Detén al sol, Naranjo. Mueve las nubes.

—La rueda de la fortuna nunca se pudo estar quieta, ése. Y te posibilité que tú trabajaras al sol.

—Estoy impedido por ahora. Tengo que esperar.

—Yo no, ése. Soy un hombre en los negocios.

—El Crucificado habló de los fracasos. Dijo: un gran triunfo es un gran peligro. La naturaleza humana soporta más difícilmente un triunfo que una derrota; más aún, parece incluso que es más fácil lograr un triunfo tal, que soportarlo de manera que no surja de él una derrota más grave.

—Más, más, más: hay tres en la sentencia. Pero el tiempo es menos, Gardea. Fue un placer, ¿eh?

—Sí, Naranjo. Como no volveré a tener otro. Sólo su ausencia me dejó.

—No, ése. Observa los matices: hablo de mí.

—¿Y el sol?

—Se fue ya, Gardea. Yo con él. Te ofrecí y no. Adiós.

El hombre pigmentado desapareció como un suspiro. Gardea dejó de verlo de repente. Llegó a creer que había imaginado todo en cuanto siguió su camino. Veinticinco para la una y toda la realidad le mandaba guiños. La danza del día, esa que tampoco nunca está quieta. Al alcanzar la esquina de Gante decidió que no iría a la oficina. Para lo que tuviera en ella le bastaba una pequeña caja de cartón. Otra vez pasaría por sus pocas cosas. Eligió encaminarse al salón de baile de La Goyesca en la colonia Roma, cerca de La Cibeles, estatua acuática de la diosa madre, la madre tierra. Cinco para la una y ya estaba más cerca de llegar.

XXX

«Es el amor y su asesinato, es el santo y su delator». Un ciego cantaba coplas a las afueras de un comercio. Con su guitarra desafinada producía acordes para alzar la voz y darle brillo a cualquier otro día que hubiese ignorado. Cualquier día: hoy no. «Es el apareamiento sagrado, es la más clara luz del día y la noche más profunda de la locura. Es el amor...» Algunas monedas corrieron de su mano hasta un pequeño y oxidado bote que contó en ecos metálicos lo que cayó en él. Una nota aguda del músico agradeció la limosna y la voz se elevó más. «Es lo lleno que se une con lo vacío, es el apareamiento, es el amor y su asesinato, es el santo y su delator: no oponerse a él es redención». A unos metros del rapsoda colgaba un letrero zarandeado por el voluble viento urbano: «Academia de Danza La Goyesca. Altos». Era de lo muy poco que Adela le había contado como propio: el sitio y la dirección. Subió por unas escaleras gastadas y en penumbra hasta un espacio de espejos y ventanas, con piso de duela variopinto, parchado por todos lados sin importar las tonalidades de la madera. Desde un muro resaltaba el grabado de un rinoceronte de armadura mineral, con la mirada y la testa hacia abajo, constelado en su piel de saurio, con pezuñas y un cuerno pétreo, inmóvil. Una D adentro de un círculo al pie de la estampa guió a Gardea: Durero. Lugar del movimiento presidido por la inmovilidad.

—Moverse es permanecer estático —dijo la vieja bailarina a Gardea, cuando se presentó el uno con la otra y el indagante indagó por la contradicción: otro símbolo.

—Usted no viene a inscribirse, ¿verdad? —comentó ella con sus ojillos vivaces y cansados—. ¿Qué se le ofrece?

—Informes, informes prioritarios. Busco a una mujer. Se llama Adela —contestó Gardea, a punto de confesar todavía más: soy el amor y su asesino, soy el santo y su delator. En cambio había dicho: Gardea, matemático, servidor.

—¿Y de qué la conoce, señor? Aquí vienen muchas mujeres. Unas regresan y otras no. ¿Adela, dice usted? —Gardea sintió la desconfianza de la maestra, rancia y cautelosa, cubierta de una armadura como la del cuadrúpedo tutelar de la academia.

—Desde luego no parece, pero será por la hora —la intemperie del lugar, su pobreza apenas disfrazada, movió a Gardea para punzar a la vieja—. Y aunque así fuera, señora, ella es inolvidable. Usted sabe bien quién es, ¿verdad?

—Ayúdeme a recordarla, señor. ¿Qué tiene usted que ver con ella? ¿Para qué quiere saber dónde está?

—Acaba de aceptarlo, creo. Usted sabe dónde está.

—No se apresure, no he dicho tal cosa. Todavía no encuentro quién es su Adela.

—Es la mejor que alguna vez pisó este sitio.

—¿La mejor, dice? Entonces no la conozco. Ninguna ha sido la mejor. Por aquí ha pasado una tribu femenina que busca aquello que ignora. Todas son melancólicas, todas creen ser la mejor. Ninguna alcanza tales cuentas. Puedo decírselo sin equivocarme: su Adela nunca ha estado por aquí.

—Hay un hombre con ella. También lo busco a él.

—¿Bailarín, guitarrista, palmeador?

—No lo sé. Es duro y arrogante. Oprime con facilidad. Vasconcelos: así se presentó.

—¿Y le dijo que frecuenta esta escuela?

—No, él no. Ella.

—¿Para qué les quiere, señor? Si desaparecieron, déjelos irse. La vida puede haberle hecho a usted un favor.

—Los pocos que he recibido sólo se reúnen en ella. No puedo vivir sin tenerla.

—Entonces, ¿la tuvo?

—Con lo que soy, señora. La tuve, sí, y usted me dirá dónde puede estar, no conozco a nadie más que pueda hacerlo.

—¿Llegó de pronto sin que la esperara, sin que la conociera?

—Lo sabe, pues. Sí, así llegó.

—Por eso no le pertenece.

—Era de noche, cuando yo nunca abro la puerta. Vivo en zona minada, donde algunos dejan entrar a los fantasmas del rumbo con la oscuridad. Manicomio, burdel, picadero. Nunca abro, señora. Sólo aquella vez.

Un ruido de faldas, de grititos de pájaro, de tacones de giroscopio subió desde la entrada e interrumpió a la vieja.

—Va a perdonarme, caballero, pero en esta escuela a veces hay clase. ¡Justo!

Con el grito salió del otro cuarto un viejo gitano bostezando y se paró en el umbral, donde la pintura cambiaba de color, descascarada, para ver entrar a tres alumnas. Las tres gracias, dijo el gitano con desprecio. Una era gorda y de rostro afilado. A pesar de su volumen parecía hábil y ligera. Las otras dos estaban mejor hechas, similares como hermanas. Se habían vestido abajo con faldas coloridas y de redondos vuelos en serpentina, medias negras, protuberancias tejidas en los tobillos que cubrían los bordes de zapatos negros, humildes y poderosos zapatos de tacón cuadrado, nerviosos para dar saltos y hacer denuestos. ¡Una, dos y otra vez tres! La Goyesca iba conduciendo la entrada a la danza con las palmas y el pecho en alto. El gitano empezó a soltar notas incompletas de la guitarra que había sacado de un estuche y las tres gracias a calentar las piernas. Gardea se quedó en un extremo de la sala y se sintió capturado por los movimientos que lo cercaban. Las mujeres iban y venían, paseaban en el aire una media luna entre sus senos grandes, pequeños, redondos o puntiagudos. La tarde se componía de todas las notas que Justo engarzaba. Su pie golpeaba para marcar el tiempo pero el tiempo no corría hacia ningún lado. La Goyesca alzaba los brazos de propiciadora y las vaquillas saltaban por un prado hecho de duelas desiguales.

Gardea descubrió que el baile implicaba un sentido oculto, velado. Lo esencial no era los espacios que las bailarinas ocupaban sino aquellos que dejaban sin emplear. Desde hacía unas horas notaba que su conciencia se expandía. Un reino de percepción sutil, no ordinaria, le estaba siendo manifiesto. La materialidad se sentía más que nunca y también menos. Las cosas parecían flotar. Tenía la sensación creciente de ver lo que había y lo que no al mismo tiempo. Hasta esas zonas no ocupadas dirigía la maestra, palmeando vigorosamente, a sus tres bailarinas: las llevaba para dejar en claro lo que no hacían, no lo que sí. Una saeta se elevó de la voz cascada del guitarrista: «Atrévete a abrir las puertas por las cuales todos de buen grado se deslizan, atrévete a volverte lumbre y después ceniza». Cantaba en falsete, descomponiendo las sílabas y rematándolas un momento después. Aquel espacio en el cual el sonido moroso rebotaba luego de vibrar desplegó ante Gardea una liturgia de lo ausente. Estaban allí porque a la vez no estaban:

las tres gracias, La Goyesca, Justo y sus ruidos a contrapaso, la tarde congelada, la duela y los espejos, Gardea y su sensación.

No supo por qué lo hizo pero de pronto se vio bailando en medio del triángulo febril, golpeando la duela con taconazos contundentes, alzando los brazos como las bailarinas y bajándolos al parejo, cambiando de rostro para palidecer o llenarse de rubor, agrietando la mirada para deambular entre las membranas inmateriales que ahora veía cubrir y separar una cosa de otra cosa. La saeta de Justo parecía haber roto algún punto luminoso y desparramar en toda la estancia un brillo de fragua, de metal al rojo, que sin embargo era suave, comedido aunque fatal. Gardea se creyó envuelto en llamas y lanzó un grito que se integró fácilmente a la salmodia del cantor. Atisbó que La Goyesca sonreía y que las tres gracias iniciaban una metamorfosis tan singular como la suya, que el guitarrista pulsaba entre las manos un instrumento proveniente del vacío, de ese organismo absoluto sin costuras ni remiendos donde Gardea se fundía y era todo con todo en él.

Una palmada cortó tal embriaguez. Se percató de no haberse movido de su sitio y que su danza no era acreditada por ninguna sensación ahora presente. Sólo un calor intenso lo recorría por dentro y le entorpecía la lengua. Toda la materia se le mostraba como una pura novedad.

—El mundo acaba de cambiar —dijo Gardea a La Goyesca, ya sin las aprendices ni Justo, que habían dejado en silencio el salón. La lengua la tenía pastosa, seca, y gobernarla para hablar le costaba trabajo. La maestra parecía no darse cuenta de ello.

—¿Le gustó la clase, señor? —preguntó la vieja con amabilidad, acercando el banco donde Justo se sentara para ofrecérselo. Pudo sobreponerse al voto involuntario de pastosidad bucal y contestó con otra pregunta.

—¿Debió gustarme, señora?

—Si usted cree que lo hicimos bien.

—¿Oyó lo que dije?

—¿Que el mundo cambió?

—Sí, eso.

—¿Cómo entenderlo, señor?

—Tal cual. Fue hecho a propósito por usted y el gitano.

—Lo que hacemos al enseñar siempre tiene un propósito.

—¿Por eso me incendiaron e hicieron bailar?

—Pero usted no movió ni un pie y no está quemado. Se dedicó a mirarnos.

—No estoy loco, señora.

—No dije que lo esté, señor.

Por las ventanas entraba una luz angular y uno de sus rayos lamía la falda negra de La Goyesca. Gardea creyó ver en ello un aviso y se movió hacia atrás, asustado por la anciana. Hizo un intento por sobreponerse.

—¿Ya se fue su guitarrista? —preguntó.

—¿Justo? Estará tumbado en su camastro, esperando.

—¿Esperando qué?

—Alguna clase más para cerrar el día.

—¿Puede hablarle?

—No le gusta que lo moleste por cualquier cosa. Es majadero cuando se le distrae, señor.

—¿Es peligroso?

La anciana sonrió de nuevo, con el mismo gesto que Gardea sorprendiera al estar envuelto en llamas. Su tensión creció.

—Tan peligroso como yo —dijo, jugueteando con el rayo

de luz que la lamía—. ¿Por qué se atribula tanto, señor? Somos gente buena, inofensiva. Él es un músico viejo y fracasado, yo soy una maestra que apenas gana para vivir. Pero usted vino aquí para encontrar a una joven. Adela, ¿no es así?

—Es extraño, pude olvidarlo hasta ahora.

—Así es el baile, señor: alivia las penas.

—El perro ladra, la caravana pasa, dicen los árabes. Ya ladré, señora. ¿Dónde está mi caravana?

—Syzygien, ¿sabe usted lo que es eso?

—Hermético, señora. Fuera del español casi no existo.

—Parejas, dos que son uno, yuntas dobles y únicas: Klingsor y Kundry, Arturo y Ginebra, Teseo y Ariadna, Merlín y Nínive, Lao Tsé y su bailarina, Filemón y Baucis, Abelardo y Eloísa.

—¿Usted y Justo?

—La Goyesca y Justo.

—¿Y Adela?

—Sí, también Adela.

—Gardea y Adela.

—No: Vasconcelos y Adela.

Gardea se destanteó porque la afirmación era dicha después de que un mínimo impulso la soplara en sus oídos. Primero llegó a él y luego fue proferida por ella.

—No ande repitiendo lo que oye, señora. No tiene ningún fundamento.

—¿Usted ya lo había escuchado? Para que vea.

—Entonces sabe dónde está Adela.

—No, pero puedo suponer con quién porque usted lo dijo.

—Hombre sagaz. Hasta de un negocio le conté al tal Vasconcelos.

—¿A Simón el Mago? ¡Ja! —la vieja hizo una mueca, jaló un

gargajo de la garganta y lo escupió. Gardea siguió su parábola desde los labios hasta el piso, donde la madera sin lustrar pareció absorberlo ávidamente. Se limpió algunas briznas de saliva con el dorso del brazo y prosiguió—: Los negocios le gustan casi tanto como su Helena, su Adela, «mi primera ennoia», como le dice. Pretende que ella es el primer pensamiento que surgió de él. Como ve usted, señor, es algo más complicado que buscar a una niña querida, aguja en un pajar.

Gardea notó que el rayo de luz estaba enroscado alrededor de la muñeca de La Goyesca, formando una pulsera iridiscente que la mujer admiraba de soslayo, con mustia satisfacción. Los miedos volvieron a desplegarse.

—¿Usted se la consiguió? —preguntó con la boca otra vez pastosa y seca.

—No, él la eligió. Vino a verla y la obtuvo.

—La pulsera, digo.

—¿Cuál pulsera, señor? —preguntó la mujer, moviendo las manos que llevaba desnudas, garras artríticas manchadas de lunares color tabaco.

—Algún fenómeno óptico, ¿verdad? Entonces, él la eligió.

—Sí, su voluntad siempre se cumple. Cuando menos aquí, señor.

—En eso nos parecemos Vasconcelos y yo. Mi voluntad también tiene el hábito de repetirse.

—Pero la de ese hombre es avasalladora. Usted sólo parece un enamorado.

—¿Dónde vive Vasconcelos, anciana? —A Gardea la rudeza se le impuso de pronto. El miedo lo volvía violento y ofensivo. La Goyesca recibió el epíteto con un quejido ahogado y se evaporó la coquetería que en toda la plática mantuviera.

—Tengo menos años de los que me calcula. Y no puedo responder lo que me pregunta, no lo sé. Aunque daría lo mismo: sabiéndolo, no se lo diría. Váyase ya.

—Usted fue la alcahueta, anciana, usted se la entregó, ¿verdad? Ese es su oficio, su mejor baile.

—¡Justo, Justo! ¡Este hombre me está insultando! —Antes de que La Goyesca intentara moverse hacia el umbral donde había desaparecido el gitano, Gardea la tomó de los hombros y la obligó a ponerse de hinojos ante él.

—Te puedo hacer pedazos, vieja bruja. A ti y al despojo que llamas. ¡Deja de gritar! Debes tener algo para darme. ¡A ver tus fichas, tus registros! —El miedo del hombre se había convertido en cólera, su enojo era temor. Más estando allí, entre membranas que continuaban separando los altos techos de los espejos, éstos de la barra sucia que corría en la mitad y a todo lo largo del salón, la barra de los poliedros que ocupaban las ventanas rectangulares, las ventanas de las manchas húmedas en todas las esquinas—. El mundo ya cambió, cabrona. ¡Ven acá!

Arrastró a La Goyesca hacia el cuarto del fondo. Su furia cedía al peso de casi llevarla en vilo, pero una emoción arcaica lo dominaba. No era extraña sino familiar. La idea de matarla le parecía tan próxima como el descubrimiento repentino de las tantas maneras para hacerlo que conocía. En aquel momento se asomó Justo, y Gardea, soltando a la anciana, se abalanzó hasta él para derribarlo. El golpe lo conmocionó y quedó sobre el piso sin moverse. Jaló luego a la vieja, que quiso agarrarse del gitano para no avanzar. Gardea pateó su mano hasta que se soltó.

XXXI

Carmen Berriozábal despidió a su acompañante al llegar a la puerta de su casa. Durante una hora habían caminado bajo la húmeda intemperie, sin cruzar palabra ni gesto que los aproximara, cada cual ensimismado, preguntándose si la lluvia lograría desvanecerlos, como lo hiciera con los volúmenes apenas sugeridos que salpicaban a la ciudad derrotada por el mal tiempo. De la Alameda hasta la San Miguel Chapultepec, la caminata seguía la curva de una aurora que esa mañana no se mostraría. «Adiós», dijo uno. «Adiós», contestó la otra. Los gatos de la casa reconocieron el ruido familiar de quien llegaba y se acercaron a la chirriante reja de hierro forjado, esperando obtener la dispensa de su dueña. Hocicos grasosos, ojos de flama, maullidos implorantes: los gatos se agolparon para ganarse los unos a los otros los pellejos que la mujer habitualmente les ofrecía al regresar.

Carmen contó a los animales en voz alta, sin considerar los resuellos quejumbrosos que subían de tono. «Doce», dijo contrariada, «¿dónde están los demás?» Los chillidos se multiplicaron cuando los animales comprobaron que ella no traía nada para ellos. «Vayan a buscar a la Morsa y al Tufo. Gladiola ha de estar encaramada en el trinchador». Ninguno de los gatos atendió la orden. Se dispersaron por el patio de baldosas para esperar las caricias de un sol ausente o el momento nutricio de los pellejos. Esa casa. La había comprado la viuda Berriozábal cuando la familia regresó de Francia. En ella murió la madre y la criada y de ella se fueron para siempre las hermanas: sudarios, bodas y conventos. En ella esta mujer había vuelto a recorrer los pasos dados, las servidumbres impuestas y el terror a la disolución.

—¿Les dije que Elías me escribió un poema?

Carmen se sentó en la vieja banca de madera que miraba al centro del patio, donde ahora la fuente estaba vacía y abierta de cuajo en su base de cantera. Dos o tres gatos la rondaban con zalamerías y ronroneos, enredándose entre sus piernas. Del amplio bolsillo de la gabardina chorreante sacó un pequeño libro amarillento, que en proporcionadas letras itálicas decía Ediciones La Verónica en su tapa. Con voz de niña se puso a leer: «Sobre una alfombra, que imitara en vano el tirio sus matices —si bien era de cuantas sedas ya hiló gusano y artífice tejió la primavera—, reclinados, al mirto más lozano una y otra lasciva, si ligera, paloma se caló, cuyos gemidos —trompas de amor— alteran sus oídos». Los gatos cesaron sus arrumacos y la lluvia siguió cayendo como lágrimas del ojo de un buey. «¿Escucharon?», preguntó con su voz de siempre a los quietos animales. «¿Quién le habrá dicho a Elías de la alfombra? ¿El viejo judío azafrán? No, la bruja de la viuda Berriozábal, su abuela, bichos. La respetable dama que llenó de mierda nuestras vidas, el estreñido culito que no le dio placer al general, la boquita pintada que nunca le lamió la verga al marido. Señora pajarera, ya abrimos todas tus jaulas. Aquí mis hijos devoraron a tus insípidas aves. Yo mastiqué los huevos sabor a nada que nos dejaste, maquillé a todos los santos alelados con que cubriste esta casa, vestí a las putas con tus encajes y retocé con ellas en tu ancha cama. Una y otra lasciva, una y todas lascivas. No hay hombre o mujer que pasen por esta casa en balde, señora de las macetas secas». Guardó en el bolsillo el pequeño libro y se levantó para llegar hasta una de las habitaciones cuya puerta, cerrada con tres candados, daba a un costado del patio. Sacó un manojo de llaves y fue abriendo uno por uno. «¿Nadie entró, verdad?», preguntó a los animales que no maullaron para responder.

Cuando salió de nuevo al corredor iba vestida con un traje holgado, maquillada en exceso y calzada con tacones. Lucía una constelación de prendedores en el pecho y bajo el brazo portaba un cuaderno grande y de pastas duras. Un chal cubría sus hombros en la mañana plomiza donde la lluvia tomaba un respiro antes de continuar. «Voy a la acción paralela», dijo a los gatos cuando cerró los candados. «A mi regreso quiero verlos a todos, ¿eh?» El portón de hierro chirrió clausurando la cueva. Dos vecinas que barrían la acera se rieron a sus espaldas al pasar y una de ellas imitó sus andares, exagerándolos. Con la mano les dedicó un ademán de adiós que concluyó en un gesto obsceno.

—¿Destino, señora? —preguntó el chofer del taxi.

—A Empalme de Oriente esquina con Patriotismo. Voy a la secundaria Lida Mantovani —precisó Carmen.

—¿Usted es maestra? —inquirió el chofer.

—¿Eso le parezco? —jugueteó ella.

El traje holgado permitía que Carmen exhibiera las piernas, observadas por el chofer desde un espejo que corría por enfrente de él a lo largo del parabrisas del auto. Otro más, redondo, estaba colocado abajo a la derecha, justo a la altura de sus tobillos. Cuando ella lo descubrió tiró del traje hacia arriba para mostrar más.

—¡Cuidado! —Carmen reprendió la distracción del chofer que descuidaba el tráfico por estar absorto en los espejos.

—Discúlpeme, ¿señora, señorita? Señorita, claro, y entonces, ¿de qué da clases?

—De dibujo —dijo Carmen.

—Autorretrato, ¿no?

—Sólo cuando me desnudo.

—¿Y le gusta estar desnuda?

—Cuando llueve, no.

—Qué lástima, hoy llueve.

Iba con los incompletos. Dos horas cada tercera jornada. Se había impuesto esa penitencia para vivir todavía cierta normalidad y obtener dinero puntual, que resultaba una suma cualquiera. Pero era un inmenso malentendido. La maestra aterrorizaba al grupo, le despertaba un morbo pegajoso que impedía su abstención. Y la maestra pasaba de excitaciones orgánicas a juegos de escarnio, perdía energía con esos adolescentes impedidos para el arte, ninguno superior. Cuerpos, más vitales que otros, más incontrolados. Dormidos, a pesar de eso. Y los cuerpos eran los bosques de Carmen.

—Déjeme aquí —dijo ella.

—A ver cuándo otra vez, señorita —dijo el chofer.

—Pero usted sólo puede mirar —dijo la pasajera, y azotó la puerta del taxi. Entró a la secundaria Mantovani taconeando muy fuerte. Así se anunciaba con la directora, una mujer que sin saberlo hubiera preferido ser la portera de la institución.

—Maestra, buenos días —saludó la directora desde su despacho abierto—. ¿Después de su clase puede pasar por aquí? —Durante semanas venía pidiendo lo mismo. Carmen contestó con una onomatopeya y la otra quiso entender que aceptaba el trato.

Carmen entró al salón, cerró la puerta y se impuso el silencio. Muchachitos parados enfrente de bastidores y carpetas la vieron cruzar hasta el centro del aula. «¿A quién le toca?», preguntó sin dirigirse a ninguno en particular. «¡A aquél, a aquél!», corearon. «A ver, tú», ordenó. «¿De qué va a modelar?», preguntó de nuevo. Los gritos crecieron. A ella le correspondía decidir. Midió cuánto faltaba en el muchachito y dijo: «De Ghede, divinidad vudú. Famélica figura de sombrero de copa, su atributo es fálico. Con el pito sostiene a los seres vivientes, incrementa su número y resucita a los muertos. Con el pito: ¡quiero verlo!» El joven elegido se desnudó entre las pullas de sus compañeros. Nadie se resistía a los caprichos de la maestra: aquello que se teme fascina.

Ghede se colocó en la tarima de modelaje. Era un chiquillo desnutrido y pudibundo, que tardó un buen rato en atreverse a su representación. Carmen no detuvo las burlas cuando se descubrió los genitales, tapados con las manos hasta ese momento, y el granizo de las bromas vulgares de sus compañeros cayó inmisericorde sobre él. Tenía frío y lo recorrían temblores repentinos. La maestra fue en su ayuda para convertirlo en la divina patraña haitiana. La loca de su casa le sopló al oído qué hacer: a Ghede también le llamaban Barón Samedi y era guardián de los muertos, señor del amor, inesperadamente libertino y bebedor atávico de ron fuerte: entonces cordero, león, cerdo y mono, un ebrio, como le contó Satán a Noé cuando hicieron una vendimia y éste se embriagó, porque los ebrios son corderos antes de beber, leones al probarlo moderadamente, cerdos cuando se exceden y monos obscenos hasta llegar a la embriaguez. Por eso los lugares consagrados al Barón Samedi llevan un falo grabado en el suelo, por eso él sabe de todos aquellos que han vivido porque a todos acecha desde las encrucijadas del camino. «¡Quiero ver el pito cósmico!», gritó Carmen como si fuera una urraca. Era el momento de una enfermiza quietud. Los adolescentes recordaban su propio paso por la tarima, quienes lo habían tenido, y los otros esperaban ansiosos que les llegara la ocasión. Trazaban en las hojas el dibujo de un Ghede interpretado según la asfixiante emoción de cada cual: aquí diabólico, allá asexuado, aquí procaz, allá angélico. La única que veía lo debido era Carmen. Metamorfosis. Con ella transformó al muchacho en lo que quería y a éste le impuso el juego de sustitución.

Al terminar los cincuenta minutos de docencia volvió a escurrirse por la salida y la directora no se enteró. Caminó por las calles con su triunfo sobre la materia en el pensamiento. Cuando llegó a su casa los gatos estaban desperdigados. «¡Oigan!», gritó para que se juntaran.

XXXII

Allí estaba la fecha, la nota era de ayer, el periódico de hoy. Gardea leyó: «Vecinos de la calle Sinaloa en la colonia Roma descubrieron ayer en la madrugada el cadáver de una mujer de 67 años, aunque otras versiones dicen que tenía 57. La víctima recibió en el cuello varios golpes con unas tijeras. El o los homicidas, que se presume la atacaron para robarla, intentaron previamente ahorcarla con una cuerda de cortinero. La condición humilde de la víctima mantiene desconcertada a la policía judicial, que afanosa busca pistas para determinar los motivos del crimen. Personas allegadas a la víctima, quien era jubilada y se mantenía de dar clases de baile, dudaron que la muerte de la anciana mujer obedeciera a un acto de venganza. Dijeron que la hoy occisa no contaba con enemigos y horas antes del asesinato había tenido lugar una reunión en su domicilio con un grupo de personas de la referida calle quienes dijeron pertenecer a la secta Testigos de Jehová, pero otras versiones afirman que tuvo un encuentro con un visitante y una sesión de las clases que impartía. De acuerdo con las declaraciones de varios vecinos ante el representante del Ministerio Público de la 18 agencia, la reunión en el departamento de la occisa terminó alrededor de las 21:00 horas del pasado martes; sin embargo, otros testimonios establecen que esto es falso. Indicaron que aproximadamente a las 23:00 horas escucharon ruidos extraños en el interior de la habitación 109 del edificio 25, pero no les dieron importancia, aunque otros aseveraron que sí. Empero, los ruidos de golpes se repitieron y los vecinos decidieron investigar si la mujer necesitaba ayuda, pues sabían que padecía males cardiacos y pensaron que había caído al suelo. Luego de tocar la puerta en forma insistente sin recibir respuesta, los alarmados vecinos penetraron a la vivienda y después dieron aviso a los tripulantes de la patrulla 1110 de la policía preventiva, que tomaron conocimiento de los hechos sucedidos».

XXXIII

Llena atrás y llena adelante, a la mitad del mes, dicen los Vedas de la luna victoriosa. Bajo ella caminaba Ruano, envuelto en las gasas de su luz de plata. Recordó a Rilke, una vieja lectura de la casa de huéspedes: «La noche pasa por el llano; la luna, blanco lirio, se abre en su mano». Lua en portugués, kamar en árabe, ay en turco, beu en zapoteco, chandra en hindi, menesis en letón, mah en persa, selena en griego, charaka en amárico, tuna en polaco. ¿Y aquella mujer, adoradora de la luna, que repetía todos los nombres de la merodeadora de circular pupila? Lunática, lunes. En lunes por la noche, Ruano pagaba su cuota de luna. Venía de estar con Vasconcelos y las cosas no resultaron satisfactorias.

Sobre una elevación creyó ver cuatro figuras que podrían ser árboles o siluetas femeninas. La luz de arriba favorecía la confusión. Su padre le contaba —lo recordó al acercarse a lo que siguió siendo ambiguo: ¿cuatro mujeres inmóviles o cuatro arbolillos fijos?— las historias del pueblo. Antes de su paso a la estridencia, el padre se iba al patio de atrás de la casa para revisar una creación imperfecta y ofrecer al pequeño las prendas de su delirio en ese pueblito infernal. Ya estaban todos los signos del desastre saltando en los muros de la casa ladrilluda, pero el padre aún esperaba movimientos extraordinarios para traspasar de una vez las puertas que lo llevarían al final. «Son tres, mi hijo. Y mi pavor es a cuál. La de la izquierda me promete poder, fuerza, riquezas. La de la derecha es la recámara de los santos. La del centro va directo a mi corazón».

Por esos días una burla rondaba con vuelo de zopilote la fama pública de la familia Ruano. Una sobre otra aparecían frecuentemente, cuando algún ocurrente soplaba el nuevo ¿ya te enteraste? que iría rodando del mostrador de alguna tienducha a las guarniciones de las calles empedradas y entraría por la puerta de la casa hasta el patio donde el orden de la creación se cuestionaba. Era culpa del notario, el ilustrado del pueblo. Un día dijo en la tertulia vespertina: «Los Ruano son los Giacometti de este pueblo. Sólo que al revés». Pasó a explicar, mediante florituras de copitas de jerez y confites rancios, la transmisión de los dones del genio, reverso de los del loco. Era lombrosiano por correspondencia, así que se esmeró en derivar el ejemplo hasta la morfología facial de la familia: narices, ojos, mentones, lóbulos, bozo, sonrisas, cejas, miradas, sienes. La cátedra tuvo un límite: se requería un Ruano para ejemplificar mejor. «Vayan por uno de los hijos de don Beto», dijo el notario, y lo encontraron a él, a José Ruano. No era común que las casas ajenas se abrieran para ninguno de ellos, presentes por mención, los malafortuna, los malasombra, los malasuerte de las pocas calles céntricas de ese pueblo narcotizado por su pequeñez. «¿Ven ustedes este huesito? El niño tiene la marca del genio, pero una inversa, porque esta protuberancia indica lo mismo aunque no es igual. Digamos que es el atributo en su forma contraria». Le ofrecieron más jerez y galletas de agua. Lo miraron con atención conforme el letrado lo fue describiendo, alguna vieja lo vio con conmiseración. «¿Ya supo, padre, que el señor notario le hizo una prueba científica al niño Ruano y salió anormal?» «Ellos lo son, hija mía, platícame todo». Los Noyacometi, habitantes de un caserío, Estampa, pero éste entre las mesitas de tierra que adornan la entrada a su valle sediento, de huizaches y horizontes. «Sí, sí somos», dijo el padre cuando el hijo le contó. «Aunque no saben ver».

El patio de atrás se llenaba de pastores. Un grupo de israelitas confinados a dar vueltas en un valle. El padre ponía de pie su genealogía atlántica y discutía a gritos con todo el pueblo dormido. Allí iba el notario por la mañana, cuando ya estaba manso, a notificarle que los vecinos se declaraban hartos de él y de tanto escándalo. Allí se sentaba bajo el sol a desenrollar sus historias. «Toma en cuenta a los Aguilares, los que eran medieros del abuelo Bartolomé, en tierras de arriba, junto a la presilla de Entralgo. Se devoraron, no pararon hasta que su simiente se acabó. La nuestra es eterna, así los caldeos de aquí quieran lo contrario».

¿Cuatro siluetas inmóviles o cuatro arbolillos fijos? La acera del parque estaba desierta y Ruano cavilaba sobre la deuda impagada. Lo que veía como elevación era una mesita. No había vuelto al pueblo, los Giacometti sí. Pero todos los días su cuerpo miraba hacia la dirección donde las estrellas se daban cita: el alto valle metafísico de su infancia en ruinas. ¿Una querella judicial? ¿Perseverancia y paciencia? ¿O la humillante aceptación de que la deuda nunca sería cobrada?

Era un hombre puntilloso, donde toda imposibilidad representaba un fracaso propio y de los otros, destino de los Noyacometi, acreedores ignorados, deudores que una vez tapaban un hoyo para destapar varios de un solo golpe. «Nunca te pagarán a tiempo, nunca te pagarán de buen modo». La saga familiar estaba zurcida de pleitos y cobranzas, de amparos contra actos de suspicaz naturaleza, de denuncias contra la sangre que es la peor porque está cerca. Curas, médicos y abogados. En la remota bonanza iban a la casa por la mañana y por la tarde, las ramas familiares atentas a los doctos togados que forzarían los bienes para derramarlos en la dirección mejor pagada, que santificarían el alma para habitar el paraíso de la riqueza, que curarían las dolencias para que los sentidos nunca desmerecieran lo que sí, lo que nos toca, lo que nos dejaron. «El abuelo dijo que La Portilla era para los menores. La abuela dijo que no». El paranoico carácter del padre fue erosionando todos los arreglos, desconfió de todos y escupió ante ellos la sal de su lengua para las llagas escondidas en viejos armarios de roble aromatizados con membrillo. Desde la cabecera municipal, al cabo de los meses, llegó el edicto bíblico que lo condenó a la privación de sus derechos civiles: «Es pena accesoria que somete a tutela a quien se impone, don Beto. Ahora sí está jodido». El notario rozó el ala de su sombrero de entre semana y se marchó a hacer las cuentas del despojo. «Siempre queda algo: una mano adelante y otra detrás. Permiso». El tutor del padre fue, de los enemigos, el más despiadado: un pariente mangoneador que disponía a voluntad. «Me están velando los caldeos», dijo el padre ese crepúsculo, cuando por las calles pasó un largo hilo de creyentes con una imagen en andas. «Te vendré a velar», había jurado el pariente en una ocasión de lancetazos verbales y amenazas. «Al Señor del Desasosiego no se le celebra así. El cura es un empleado de los masones. Ustedes son idólatras y muy pendejos», les gritó el padre desde la ventana. De la procesión se dejaron venir algunos varones hacia la casa que abrieron la puerta a patadas y lo sacaron para varearlo a la vista general. Humillación. «¿Cuántas veces candela de malo se amatará, y vendrá sobre ellos su quebranto, repartirá dolores en su furor?» El cura cantaba a Job en la golpiza. Esa madrugada el padre se colgó.

Las deudas son importantes: ¿cuatro deudas, cuatro follajes, cuatro mujeres? Humillación. Ruano pateó un bote y levantó la vista para seguir su trayectoria, cuando a la distancia vio venir a un hombre caminando. Era Gardea, su empleado.

—¡Licenciado Ruano! —dijo uno.

—¿Adónde va usted? —preguntó el otro.

—Estoy esperando el periódico de mañana.

—¿Aquí?

—Sí. Espero que abran aquel puesto.

—Faltan horas para eso.

—No crea. Doy vueltas y el tiempo se pasa rápido.

—¿Y dónde ha andado, Gardea?

—Ocupado, señor. Ocupadísimo.

—¿Por eso no se ha presentado?

—¿Quiere que lo haga?

—Desde luego. Es su responsabilidad.

—No lo sé bien. La noticia era interpretativa.

—Nuestros comunicados son muy claros.

—¿Ustedes lo enviaron?

—Sí, desde luego.

—¿Y cómo lo supieron?

—Vigilamos, ¿o usted qué supone?

—Que alguien se los dijo.

—Es lo de menos. ¿Fue cierto o no?

—Debo esperar más información para saberlo.

—¿Y usted cree que tendrá otro aviso?

—¿No me informarán?

—Me parece muy improbable.

—¿Entonces cómo lo sabré?

—Ya debería. El hecho es irreparable.

—Insisto en que faltan eslabones.

—Todos los trámites se cumplieron.

Ruano continuó con su paseo nocturno, después de despedirse del otro con una seca caravana. «¡Gardea, mira a qué horas! Hablábamos de las deudas», se dijo, para seguir conversando consigo mismo.

Cuando el puesto de periódicos abrió sus hojas de lámina Gardea compró todos los matutinos y se sentó en una banca del parque para leerlos de cabo a rabo. No encontró ninguna nueva mención a la muerte de la anciana, pero sí una nota que claramente le estaba dirigida: «Aquel que desee tener poderes sobre el sol y la luna deberá elaborar con arroz molido un sol y una luna, arrojarlos en agua de conocimiento y recitar este mantra: *Oh sol y luna no se muevan, no se muevan; deténganse, deténganse. Hevara Hum Hum Phat Svaha.* Este mantra deberá recitarse setenta millones de veces con el fin de hacerlos detenerse, y así el sol y la luna indistintamente serán día y noche. Eso recomienda el *Hevajra tantra* en su libro primero, sloka 27». Resolvió pues poner manos a la obra, arrancó la página donde estaba escrita su sentencia y se puso de pie.

¿Y Justo, el gitano? Gardea no recordaba otra cosa que a la vieja sollozando en un rincón mientras él revolvía con violencia los desordenados papeles de la academia, y al guitarrista tirado en el piso doliéndose ante el sorpresivo asalto. La noticia filtrada por Ruano no mencionaba al músico. Pero la sentencia sí: sol y luna. ¿Dónde podrían surtirle su receta? Necesitaba seguir los pasos uno por uno. Setenta millones de veces era una cifra grande. No tendría tiempo para nada más. La condena empezaba a darle dentelladas. Adela no aparecía. Decidió preguntar.

—¿Amparito? Habla Gardea. ¿Lo que me comunicaron es inapelable?

Colgó después de tener un feroz impulso por arrancar la bocina. Comprendió que precisaba moverse para dificultar la persecución que sentía cernirse sobre él. Volvió a la caseta y marcó el número de su casa. Nadie contestó. Emprendió camino a lo largo del parque que a esas horas reunía niñeras con carritos de bebé y vendedores de globos. Senderos como gusaneras. Este es el día difícil, dice la Biblia.

«Una alegría tranquila, sin palabras, recogida en sí misma, que no desea nada de afuera y se contenta con todo, permanece libre de toda simpatía y antipatía de índole egoísta. En esta libertad reside la ventura, pues ella alberga la reposada certidumbre del corazón afirmado en sí mismo«. Era la última consulta de Gardea. Dejó de leer el Libro de las Mutaciones cuando Adela se presentó en su vida: lo Sereno, el Lago. Se internó en el parque hasta el estanque para ver la masa de agua surcada por patos desplumados, sucios, e investigar si allí se hallaba su serenidad, el corazón afirmado en sí mismo. Estaba roto en varios pedazos y el agua se lo dijo. El líquido parecía respirar, moverse pesadamente. Su oscuridad cargada de detritus repetía, como un ruido de poleas y ruedas chirriantes, una sola, lentísima frase: corazón roto, corazón roto, tu corazón está roto. ¿Y en dónde cada parte? No supo qué responder. Llevaba más de cuarenta y ocho horas vagando, sin dormir y sin comer. No importaba lo que uno se encuentra, importaba lo que uno se agrega. Se alejó del agua densa porque su movimiento le resultaba doloroso y así llamaba la atención de las dos o tres nodrizas que veían el laguito como si fuera un espejo. El rey siempre va desnudo: Gardea se sentía a descubierto bajo la mirada de los otros. Un plan, ya.

Enfrente del parque estaba una glorieta coronada con una cúpula oriental. Desde ella iniciaban varias direcciones probables. La casa no, porque ya debería estar tomada, casa tomada. La academia de baile no, porque el criminal siempre regresa al lugar de su crimen. Mejor, cumplir la sentencia. Empezar ahora para alguna vez acabar. No, setenta millones de veces son toda la eternidad. ¿Y Adela? Gardea caminó por el día metálico: todo aquello que no es yo. Su cuerpo decidió resistírsele. Fue en horas atrás, cuando súbitamente supo que podía hablar en otra lengua. «Pourtant, vit un cas de conscience. Dans cette incertitude qui le rend fragile et inopérant, il est surpris par une émeute. Il accepte la mort pour en finir avec les contradictions du monde et les siennes propres». Francés de una reserva desconocida. La irrupción del ignorado idioma desde su mente hasta su boca aterrorizó a su cuerpo, ese recipiente que ahora deseaba actuar por cuenta propia, dejarlo a la vuelta y marcharse sin él. Desde tal momento venía empujándose cada vez más a sí mismo. Necesitaba un periódico. ¿Los diarios del mediodía? Según el alto brillo del asfalto ya debían estar a la mano. Tuvo que recargarse en una columna para leer. Página tres. Sí: «Cuando abrió el sexto sello, oí y hubo un gran terremoto, y el sol se volvió negro como un saco de piel de cabra, y la luna se tornó toda como sangre, y las estrellas del cielo cayeron sobre la tierra como la higuera deja caer sus higos sacudida por un viento fuerte, y el cielo se enrolló como un libro que se enrolla, y todos los montes e islas se movieron en sus lugares». Seis, doce, catorce: Apocalipsis.

XXXIV

Adela volvió a soñar. En el cuarto desnudo, una pequeña claraboya en el techo: claravía para cruzar por una piscina de aguas grises cuya estructura era espesa, ir y venir, recorrerla de cabo a rabo. Mercurial, todo estaba envuelto en fuego, haciendo cocción. El tanque suspendido en la nada, el agua de oleaje dentado, la emulsión, la necesidad de tirarse a ella y nadar. ¿Sabía nadar? Ave María. Despertaba sollozando pero pacificada: el descanso después de una mutilación. Seguía soñando.

Por la mañana desayunó con Vasconcelos.

—No me gustó el espectáculo de anoche —le dijo—. Parece evangelismo electrónico.

—Nunca has entendido —dijo él.

—¿No está trucado? —preguntó ella.

—Nunca has entendido —repitió él.

—Es bastante banal, ¿verdad? —dijo ella.

—Nunca vas a entender —concluyó él.

—¿Tus fieles se lo creen todo? —preguntó ella.

—No soy intermediario, no tengo fieles —atajó Vasconcelos, amenazándola con un índice sentencioso y una ceja arqueada.

—A veces pareces... ¿qué pareces? —dijo ella.

—Fausto, seguramente —dijo él.

—Tu autoconcepto es anormal —dijo ella.

—Bíblica planta —dijo él.

—¿Cuál planta? —preguntó ella.

—La ortiga, mi reina. Una corona para tu frente —dijo él.

—¿Piensas coronarme? —inquirió ella.
—Fantaseaba —dijo él.
—¿O crucificarme? —quiso saber ella.
—Siempre tan propicia —dijo él.
—Y tú tan preciso —dijo ella.
—Puras pautas sentimentales —dijo él.
—De eso vive la gente —dijo ella.
—Sí, por eso existen en un plano de la conciencia —dijo él.
—¿En cuál, doctor insólito? —dijo ella.
—En el de las pautas sentimentales —dijo él.
—Es cierto. Los sentimientos se escapan —dijo ella.
—Todo se escapa. En eso consiste —dijo él.
—Pero tú me encierras —dijo ella.
—Hay libertades que no debes ejercer —dijo él.
—Tú lo harás por mí, ¿no? —dijo ella.
—Cuando menos hasta que me sacie —dijo él.
—¿Y después? —dijo ella.
—No lo sé. Está el Halcón —dijo él.
—Quizá es preferible —dijo ella.
—Hasta que me canse de verte —dijo él.

Así pasaron varios días grises. Adela y el pozo del aburrimiento. Homo loquax el hombre, pero Vasconcelos no. El silencio cubría la morosidad y la lentitud. Ese ruido, ¿no era el silencio? En la casa ocurrían pocas cosas. Una salida, la entrega de algo pedido, puertas y voces a la distancia, ruido desde alguna ventana. Pero nada, realmente nada. Un tiempo sin diferenciadores ni cortes que lo midan, un estado permanente.

Al tercer, quinto, enésimo atardecer Adela pudo dejar la casa. Tantas horas muertas la habían hecho advertir un jirón en la malla metálica que cerraba en un extremo la propiedad de Vasconcelos, donde el bosque comunal se levantaba. Esperó a que fuera otra vez una noche de ruidos tenues, asordinados, y abrió con cuidado una puerta sin el pasador puesto por afuera. Adela fue hacia la oscura masa vegetal, y desde la ventana de la casa grande el Halcón la observó escapar. «Otra vez se va la virgen», dijo. Con un chiflido alertó a alguien más desde la puerta de la casa. Adela escuchó el sonido cuando estaba muy cerca de la horadación de la malla, que pudo traspasar de un solo movimiento. Se enderezó para caminar por un sendero que se interrumpía al pie del deslinde, varios metros más allá del hueco por el cual saliera. Los pinos flanqueaban el camino lóbrego y apenas visible. A la distancia el brillo de una luz indicaba un término. Apresuró su paso aplastando las agujas secas que los pinos tiraban en el sendero. «Adela, Adela, Adela». Con tres veces de repetir su nombre le bastaba desde niña, así, sucintamente, como la luz que se veía cada vez más cerca. No desaparecía, al contrario, estaba en todo, como en la bombilla redonda que de cerca era un faro cortando un camino. El Halcón.

—A la casita del uno el dos se quiso mudar, el tres salió de paseo, el cuatro se fue a patinar, cortaba madera el cinco, el seis repartía el pan, y el siete, el ocho y el nueve se fueron a navegar —canturreó el Halcón en un sonsonete afectado cuando Adela llegó hasta él, sin haber encontrado ningún desahogo en el sendero donde los negros flancos eran sólidos—. ¡Ay, mi reina! ¿Adónde vas? —preguntó, a horcajadas en el auto y con una manaza sobre sus bajos, la otra metida al cinto encima de la panza—. No me mandó el patrón —dijo con sonrisa de gato viejo. —Me mandé yo. Dije: ahí va la reina, voy por ella. Y aquí estoy. ¿Cómo ves? Dije: ahí va la reina con sus blandos labios mamantes, ¿adónde los lleva?, ¿para quién serán? La dama va aprisa,

aprisa, aprisa. Dije: ahí va la reina con sus hediondos pedos fosforescentes. ¿En dónde los va a soltar? Dije: quiero oler el coño de la virgen, quiero el tabaco rubio que sólo fuma el patrón. Conozco a una lesbiana con cara de zorra y una vez le rogué en inglés: love me, love my umbrella. Te pido lo mismo, madre: trágate mi paraguas, recibe en tu vulva mi umbrella, píntate la boquita, reina, y déjame un corazón púrpura en la mera puntita del pito. ¿Cómo ves? Dije: ahí va la dama de prisa y nadie lo va a saber. ¿Su marido? No tiene. ¿Su amante? Se perdió. ¿Su dueño? Duerme su sueño. Dije: ¿y el Halcón? Conozco mejor que tú estos caminos, virgen, y me moví de prisa. Dije: voy a lamer sus sobacos rasposos para que mi lengua se escalde. Dije: tengo un grano en el escroto y quiero que me lo exprima con sus uñas picudas. Dije: hoy mi bragueta puede oír su voz. ¿Cómo ves? Frente a ti está el de verdad. El otro está dormido y no va a venir, putilla de culito helado. Como veo doy. Dije: ella va de prisa para irse otra vez. Yo tracé los caminos de aquí. Telaraña. Dije: voy a recordar lo de allá, si no, ¿para qué? Por eso llegué antes, mi reina, para servirte. Dije: su cuerpo va abriendo la panocha, derrama maná. Dije: ¿por qué se va la virgen, adónde va la reina? Dame tantito, mamá, dame un dedo para tocar tus partes. Dije: ¿y si te la llevas, Halcón, dónde la escondes? Dije: te va a doler pero te va a gustar. Dije: qué rico caminan las nalgas de la reina muerta. Dije: esa lesbiana se reía, my love, con los ojos pintados de tiza. ¿Y de veras ya te vas, virgen? Dije: si no voy yo, ¿quién? Él duerme su sueño de piedra. Al otro no lo mandó. Dije: ¿cómo ves? Los otros ya te fornicaron. Dije: todos se relamen, ¿y el Halcón? Es el primero, no hay asta más templada. Dime que sí, que me lo das a gusto, love me, love my umbrella. Dije: te voy a hacer amar la verga de varón, zorra. Dije: voluptuosa, voluptuosa, su cabello escurre en guedejas. Dije: es el pecado, se cuelga del hombro como un gabán. Dije: vas a sacarme leche del miembro para untártela en los pechos y mamar sabroso. Luego te vas a empinar para que te coma el ano, puta. Dije: ¿y mi honra de empistolado? Siempre en donde, con la reina muerta. Dije: va sola, la dama va sola, sola, sola. ¿Cómo ves? Yo le pedí una prenda para que se confundiera la lesbiana, mi vergante umbrella. Dije: que ella pague, como tú.

El Halcón descendió del cofre del coche. La mujer escuchó en silencio, hipnotizada con el monólogo. Nunca lo había oído hablar tanto. Giró sobre sus talones para regresar. La mano cayó sobre su cuello, el cuerpo de Adela se dobló en dos, roto, y el Halcón la depositó suavemente sobre el sendero.

De adentro del auto salió la voz.

—¿Ya terminaste, Halcón?

XXXV

—¿Me puede socorrer? —le preguntó Gardea a un hombre muy pequeño que estaba parado en una esquina. Las cosas se le venían encima—. No tiene usted idea cuánto me urge.

—Claro que no. No tengo, pero si tuviera, tampoco —dijo el interpelado—. ¿Para qué necesita dinero? ¿Qué uso le dará?

—Es suficiente con que me diga que no tiene. Lo demás sobra —contestó Gardea—. No debe especular sobre lo que ignora, enano.

—No me insulte, señor.

—Sólo lo describo. Además le pido ayuda.

—No es manera, de ningún modo.

—Lo importante es la ayuda. Me vienen siguiendo.

—Algo habrá hecho. ¿Insultó a los que lo siguen? ¿Qué les hizo, eh?

—Casi todo. Pero fue inadvertido. Usted sabe, ¿no? Uno inicia un movimiento y va a parar quién sabe dónde. Es una forma intuitiva, ¿verdad? Porque sabemos que hay dos formas. Mire si no: la intuitiva y la conceptual. Estoy encerrado en la primera, que en mí parece la segunda, y algo va saliendo mal. ¿Me podría auxiliar usted? Lo que pueda prestarme es prioritario para mi bienestar. —La calle hervía y el enano se mostraba indiferente.

—¿Sabe usted que me expulsaron de mi torre? —confió Gardea—. ¿No tiene un periódico? ¿Algo escrito? ¿Me va a ayudar? —Al hablar movía la cabeza y el cuello con exageración. La calle hervía—. Necesito que me indiquen lo que sigue. ¿No tiene un teléfono?

De mal modo, el enano sacó del bolsillo un celular y lo entregó. Gardea se comunicó sin marcar el número.

—¿Bueno? Amparito, sí. ¿Lo último es literal? Dígale usted, por favor, estoy pidiendo un breve plazo. No, pero así no me lo pueden plantear, ¡válgame Dios! —dijo Gardea, y regresó el aparato al hombre.

—Tenga —le dijo el enano—. A ver si llega.

De su cartera sacó una tarjeta y se la dio. —Es una señora que hace trabajos serios.

—¿Usted me podría encaminar?

—Voy por otro rumbo. Pero está cerca.

El hombre se marchó dando pasitos luego de explicar a Gardea cómo llegar. Una calle era un puente levadizo, la otra un foso y la tercera un riel: tres, y casi en la esquina. Casa sombría, timbre que retumbaba en todo, chicharra carcelaria. Gardea tocó. Al fin salió una vieja. Le mostró la tarjeta. Usted se parece a mi padre —dijo ella cuando lo miró de arriba abajo—. ¿Viene usted de su parte, acaso? ¿Madame Berriozábal? Aquí es. ¿Quién le dio la tarjeta? Ya veo. Aquí es.

Empujó la puerta para que Gardea entrara. Gatos rascaban las paredes, zumbaban sus cuerdas de gato en el patio abierto de color plomo. —De noche no se puede estar aquí —le dijo la vieja, y lo condujo a un cuarto iluminado y de puerta abierta, la única así entre todas las demás cerradas. Las paredes del cuarto dejaban caer un polvillo de talco. —Se desmoronan cuando entra alguien infeliz —le explicó la vieja. Gardea ocupó una silla desvencijada. —De noche no me gusta trabajar —comentó muy sobresaltado. El cuarto hervía. En la pared danzaban manchas de humedad y tiempo, que una doble erosión delineaba como si fueran figuras de trasgos y bacanales. —Son arte espontáneo —observó la vieja, mientras presionaba en la pared una burbuja de caliche para deshacerla

—Asimismo le pasó la vida por encima, joven. Hace mucho que el enano ya no es mi representante. Desde que disolví la Abadía de la Vida Transpersonal. Le retiré los grados que logró con simulaciones y le prohibí mencionar mi nombre y condición para siempre. ¿Le habló de mí el infidente? ¿Madame Berriozábal, susurró, ahorcando su jetita sucia para silenciar la letra muda? «Dejar de hacer el mal. Aprender a hacer el bien. Purificar la propia mente». ¿Y dónde está usted? Silvano, un viejo sabio zanahoria, predicaba aquello indispensable, cito: «Introducid a vuestro guía y a vuestro maestro. La mente es el guía, pero la razón es el maestro. Vivid de acuerdo con vuestra mente. Adquirid fuerza, pues la mente es fuerte. Iluminad vuestra mente. Encended la lámpara dentro de vosotros. Llamad a vosotros mismos como si fuerais una puerta y caminad sobre vosotros mismos como un camino recto. Porque si camináis por el camino, es imposible que os extraviéis. Abriros la puerta a vosotros mismos para que podáis saber qué es. Abráis lo que abráis para vosotros, abierto estará». Dejo de citar. ¿Qué le prometió el enano para encontrar aquí, eh? ¡Truena, mente perfecta!, ¿no, joven? ¿Es usted pariente del enano, verdad? También se le parece. ¿Ya le han dicho lo que tiene? Hay quien lo pone en términos poéticos: corazón roto, por ejemplo. La fe, la sabiduría, la facultad discursiva. Lo concupiscente, lo odioso, lo erróneo. Son pares y opuestos; o sea, lo mismo. Usted está enfermo porque no entiende. Abra lo que abra para usted, abierto estará. Entonces para qué abrirlo, ¿verdad? Una disyuntiva clásica. Sí, ¿hasta dónde alcanza el lenguaje para decirlo? El martes y el jueves la energía es una onda y el miércoles y el viernes se comporta como partícula. Entonces, dos realidades. O una simultaneidad. Y donde usted ve una yo veo dos. Yo no soy como usted. Yo también soy yo. Existe un puñal para matar al yo, ¿usted no trae? En fin, sólo fue un papel. Yo diagnostico. Usted está extraviado porque no camina sobre sí. Muy pocos pueden. ¡Ya ve: tantas técnicas para lograrlo! Todas deben llevar a lo mismo, pero fracasan de modos distintos. Proyección de sombras. ¿Se acuerda de la metáfora filosófica de la caverna? A ver: ¿qué le vamos a decir? Voy a traer a la Morsa. Morsa, ¿qué le decimos a esta criatura? ¿Le leemos un poema sobre el santo olor de la panadería o le revelamos que la conciencia es un edificio, que él habita un infrapiso del mismo y que se nos extravió la llave de los demás niveles? Mejor que venga Gladiola. Gata, ¿y tú? ¿Le damos el viaje al joven? ¿Le participamos que por eso se dijo que para la purificación de las criaturas, para la superación de la preocupación y la miseria, para la destrucción del dolor y la tristeza, para encontrar el recto sentido y realizar el Nibbana, este es el camino, los cuatro fundamentos de la atención? ¡A ver, bichos! ¡Todos! ¡Las vocales sagradas!: ¡Zoxathazo aaaaa eeeeee iiiiii oooooooo uuuuuuuu Zozazoth!

El estrépito asustó todavía más a Gardea. A la orden de la vieja todos los gatos maullaron con ella y las vocales salieron desde gargantas ripiosas, entre las cuales la de la mujer era tan aguda como las otras. El aire hervía. Gardea se tapó los oídos con las manos. Sudaba profusamente: algo lo poseía desde las tripas, los brazos, el cuello. Su cuerpo estaba desgobernado y no podía hablar pues sentía la lengua hinchada como un pan mojado.

—Podríamos usar el tarot. Le unto las manos con aceite de almizcle, del que venden jipis sobre cemento, los abuelos de otros peores, repartimos la baraja, antes hay que rezar, después me pagaría. Pero a ver: ¿en cuál banda de la conciencia se perdió usted? Las cartas no explican en qué consiste la experiencia, son la experiencia misma. En fin, sutilezas. Ensayemos algo más completo: budismo. ¿De cuál le gusta, joven? Es difícil porque es muy simple. El aparato simbólico más accesible que puede nombrarse. ¿Tántrico? No, ese no. Resulta barroco, para mentes humanas que ya murieron del todo. Aunque quién sabe, ya ve usted cómo son las cosas. Sobre todo en este plano falso que se habita. ¿Más antiguas? No hay. Es la matriz, petrificada con el tiempo pero siempre activa. La primera envoltura conceptual que organizó el nombre, la relación y el límite hasta donde se puede hablar de lo que está más allá del lenguaje, que es casi todo, como usted sabe. ¿O quiere Zen beat, jovenazo? Tampoco. Acuérdese que dijo el Buda: «No enseño más que dos cosas: el sufrimiento y la liberación del sufrimiento». Le dieron demasiado de lo primero. ¿Samatha o Vipassana? Con una se calma y se concentra, con la otra comprende. Yo digo que de la primera proviene la segunda. ¡Morsa! ¡Carajo contigo! Magia, ¿quiere magia? Pero ya sabe, ¿verdad? Nadie puede purificar a nadie. Sólo cada quien. Felizmente entre los que se odian, sin odiar a nadie, con un refugio para uno mismo. Y a usted que se lo chingan mucho, ¿o no, joven? Así que me lo mandó el enano. Llevaba años de no cumplir su comisión. Nunca envió a ningún otro, que yo recuerde. Puedo darle la bendición o hacerle una limpia rápida, pero creo que no mucho más. Estoy esperando ciertas cosas. La muerte, nada menos. ¿Sabe qué dice el Bardo Thotrol? Que a todos nos ocurrió algo antes de nacer. Bardo es brecha, intermedio, in-ter-va-lo. Voy a recordarlo muy pronto: estoy haciendo cuarenta y nueve acciones porque hasta cuarenta y nueve son los días de su duración. Verlo a usted puede ser la última de ellas. ¿Conoce el término intención? Intencionalidad. En el intento radica el sentido. Usted está persiguiéndolo todo al revés. ¿Sí, joven? Déjeme algo para mis gatos antes de irse. Y que le vaya bien.

Carmen Berriozábal se recostó en la cama para morir, no como una delineada odalisca lujuriosa sino cual un cuerpo que presencia el propio final, olvidándose de Gardea. Dijo algo incomprensible respecto a un espejo y un collar. Discutió con una nieta fantasmal a quien pidió que colocara ese collar en la cama. El otro creyó que debía buscar su receta. Algo de ello aludió la vieja: ¿al último de su perorata o en medio? Desde la puerta vislumbró una línea sepultada en la memoria: vendrá la muerte y tendrá tus ojos. En ella estaba la luz de todo lo vivido, también las amenazantes sombras acreedoras. Quien seguía en el cuarto no podía ser más que un amigo, esa categoría infrecuente para la mujer que agonizaba: ya no importa si no, pensó. La vida salía de ella como un aire a punto de vaciarse. Y en él iban atropelladas imágenes memoriosas: una noche de tempestad al abrigo de un templo caldeado, una montaña con cresta de serrucho y el sol crepuscular pintando sus dientes, un barco mecido por las olas perezosas del puerto extraño, un desván cuyo ventanuco se abría al nivel del río, el General y una mirada donde chocaban los filamentos de cristal de una lámpara de época, la piel fría de un muerto y su tibieza repentina, un florero azul lleno de lirios, la mano nudosa entre sus muslos de un hombre olvidado, la camisa sin costuras de una amante ocasional. Gardea sentía flotar vagas presencias alrededor. El hervor del cuarto ahora era un intenso burbujeo. Su cuerpo burbujeaba. Algo dijo madame Berriozábal, porque entonces ¿y el enano? ¿Pero y cómo, recordando qué? Precisaría un manual actualizado, un instructivo convincente. La vida: instrucciones de uso. Algo igual. Los ruidos que hacía al revolverse en la silla eran escuchados por la anciana como sonidos de transición, residuales, de cumplimiento. Cumplíase el término de la conciencia y lo que se abría estaba abierto. Tarde para recordarlo, pero el alma arrobada no se pregunta por lo que abandona, cree que lo que así comienza nunca dejará de ser. ¡Oh! Y los maestros advierten por el terror más allá del terror. Morirse sí duele.

XXXVI

—Contó Dios tu reino y halo rematado, interpretó el profeta para el rey —dijo el Halcón con voz conmovida.

—El mío no lo cuenta, no lo remata —dijo Vasconcelos.

—En realidad, no se mete, ¿verdad, patrón? —dijo el Halcón.

—Hasta ahora no lo ha hecho —dijo Vasconcelos.

—Dios ausente, ¿no, patrón? —dijo el Halcón.

El auto siguió su andar uniforme. Vasconcelos abrió la boca en un bostezo que cubrió con la mano enguantada. Con la otra rozó la frente de Adela y acarició ligeramente sus ojos velados.

—Vamos a la casa, Halcón. Sin excesos.

XXXVII

Gardea dejó la puerta de la calle entornada cuando salió de la casa. Su cuerpo ahora estaba tibio, como el de la anciana todavía. Los hervores de la calle continuaban. Rachas visibles de energía iban de aquí para allá. Incertidumbre. Indeterminación. Eso: intención. ¿Y la intención nos hará libres? Ella había afirmado que sí. Que uno participa de lo que observa, uno es uno con lo que observa. Que la divisa de un emperador era: paciencia. Despuntaba apenas la mañana ozónica en la triste capital. Gardea dio la vuelta a la esquina, apresurado. El cuerpo tibio aún se resistía, dos o tres latigazos en el cuello, muecas repentinas, furiosa comezón. El enano salió de una fonda donde parecía haber estado aguardándolo.

—¿Cómo le fue? —quiso saber.

Gardea contestó trabajosamente.

—Lo esperé por la tarjeta —dijo el enano—. Me puede servir más adelante. ¿Hace el favor de devolvérmela?

Dio con ella en el bolsillo y se la extendió.

—¿No tiene usted un periódico? ¿Algo escrito? —preguntó Gardea con dicción ansiosa.

—Que conste que no le cobré —dijo el enano, y sin responder la pregunta del otro se marchó.

Con sus últimas monedas compró un diario recién impreso que pintó de tinta sus manos. Tuvo que caminar un poco más para poder abrirlo con libertad. Se recargó en una pared solitaria y muy pronto encontró el mensaje que le era dirigido a través de un recuadro cuya tipografía era en cursivas: «*¿Qué puedo hacer ahora? ¿Qué puedo hacer? Salir como soy y lanzarme a la calle con mi cabello, así, colgando. ¿Qué haremos mañana? ¿Qué podemos hacer? El agua caliente a las diez, y si llueve, un coche cubierto a las cuatro. Y jugaremos al ajedrez, cerrando unos ojos sin párpados y esperando una llamada a la puerta*». La sección se llamaba Luna Roja. Firmaba T. S. Eliot.

Le urgía encontrar un teléfono. Al tenerlo, luego de peregrinar hasta una caseta, Gardea marcó de nuevo a la oficina y nadie contestó. Era tan tarde como podría ser tan temprano. Debería esperar unas horas más o unas horas menos para comunicarse. La calle registraba un intenso movimiento. Dos mujeres macilentas pasaron a su lado cargando una olla rebosante de leche. Al mirar el líquido blanco lo alcanzó el violento latigazo del recuerdo y sintió un profundo sobresalto en el corazón: ¿y Adela?

El sol trepaba como si fuera hiedra por las vidrieras del día.

XXXVIII

Jacobo Cartola, con el portafolios a cuestas, caminaba apresurado por el andén, jadeante después de salir del vagón irrespirable. Buscó subir por la escalera eléctrica pero estaba fuera de servicio, y tuvo que marchar adocenado en medio de la masa de viajeros. El ritual matutino se había cumplido con la pulcritud de cada vez ese día: suena la alarma del reloj, uno se despierta, carga el dolor físico del amanecer, se consuela pensando que el tiempo está hecho de espuma y que en el tablero de entre semana las contingencias —un movimiento hecho en dos ocasiones, un pensamiento obsesivo, un transporte público repleto, un olvido para regresar, un café sin pan— no cuentan más. Diez para las nueve, otra vez. ¿Qué hora tiene? Es un hombre con pinta de obrero. No: nueve y cinco. ¿Qué hora tiene? Es una muchachita de calcetas caídas. Sí: nueve menos seis. No: todo lo dispuse para llegar a tiempo. ¿Qué hora es? El retraso número equis del mes. No importa, aunque importa. Tres minutos, mínimo, para salir de la cueva eléctrica, dos para alcanzar la superficie, cinco para desplazarse en ella, tres para subir las escaleras y abrir la puerta de la oficina, dos para checar y ofrecer los saludos, uno y medio para instalarse, cuatro para despegar. ¿Le pueden decir a los de adelante que se quiten para dejarme pasar? No se preocupe, señorita, esto es lo habitual. ¿Su reloj sigue conservando la misma hora? Es importante confiar en los objetos. Me gusta la fidelidad. ¿Está segura que esta muchedumbre nos lleva a alguna parte? Si usted gobernara la materia, ¿qué elegiría? ¿Salir levemente cruzando entre los cuerpos de todos ellos o la elegancia inesperada de traspasar una pared? Ya lo ve: ahora estamos en la vida. Buenos días, buena jornada. Sí, la colmena.

Un vientecillo frío recibió a Cartola cuando su mirada tocó los extremos de la atareada plaza. Los toldos rojos y amarillos de los puestos callejeros se estremecían por las ráfagas del meteoro. Algunos ya estaban abiertos y a la distancia semejaban hombres de túnica postrados en una fila serpenteante que iba más allá de la vista del hombre. ¿No compra? ¿No va a llevar? Al dar la vuelta por la calle de Gante, Cartola se unió a un pequeño grupo de mirones que rodeaba a un anciano y a un muchachito. ¿Qué horas son? El viejo modelaba con barro diversos animales: cuatro gorriones, caballos, un ratón, dos cervatillos. El chiquillo los recibía de manos del viejo y los depositaba en el suelo, sobre una pieza de paño descolorido. Atención, dijo el viejo cuando entregó una pieza no parecida a nada: monstruo, quimera, imaginación. El chiquillo tomó de nuevo uno a uno los cuatro gorriones, sopló sobre ellos, animándolos, y los hizo volar desde la palma de su mano. Algunos entusiastas aplaudieron, ¡bravo!, ¡bravo!, y recompensaron con unas cuantas monedas a la modesta pareja. El viejo recogió el paño y luego las piezas para meterlas a un cuenco y hacer de ellas otra vez barro informe. Después tomó de la mano al niño y los dos se perdieron hacia el sur. Nueve y diez. Cartola notó que el viento había cesado y que en su lugar algunas gotas gruesas arrinconaban ya la mañana para mojarla de agua gris. Tuvo que aceptar que en la alta fantasía llueve. Y volvió a cuestionarse: ¿qué horas son?

La rueca y el paraíso
de Fernando Solana Olivares se compuso en RAYUELA, DISEÑO EDITORIAL y se imprimió y encuadernó en enero de 2009 en los talleres de Pandora, S.A. de C.V., Caña 3657, La Nogalera, Guadalajara Jalisco México. El tiraje fue de 1,000 ejemplares.